Hoffwn ddiolch i'r Parchedig Athro John Rice Rowlands am awgrymu'r casgliad, i Mr Eric Hughes am dynnu'r lluniau, i'r Parchedig Ddr. Dafydd Wyn Wiliam a Mr Alan Beesely am ddarllen y deipysgrif, ac i Wasg Taf.

I wish to thank the Reverend Professor John Rice Rowlands for suggesting the collection, Mr Eric Hughes for taking the photographs, the Reverend Dr. Dafydd Wyn Wiliam and Mr Alan Beesely for reading the manuscript, and Gwasg Taf.

Edgar Jones

Heb anghofio Megan.

HELFA'R RHWYD
ANGLESEY TALES

EDGAR JONES

Gyda diolch,

Edgar.

Gwasg Taf
2001

Argraffiad cyntaf: Rhagfyr 2001
First published: December 2001

Mae cofnod catalogio'r gyfrol hon ar gael gan y Llyfrgell Brydeinig.
A catalogue record for this book is available from the British Library.

ISBN: 0 948469 86 2

Dymuna'r cyhoeddwyr gydnabod y cymorth a gafwyd gan Menter Môn
a Chyngor Llyfrau Cymru i gyhoeddi'r gyfrol hon.
*The publisher wishes to recognise the support received from Menter Môn
and the Welsh Books Council to publish this book.*

Cyhoeddwyd gan Wasg Taf, Bodedern, ac argraffwyd gan W.O.Jones, Llangefni.
Published by Gwasg Taf, Bodedern, and printed by W.O.Jones, Llangefni.

Cynnwys - Contents

CYFLWYNIAD

Pan ddathlwyd un mlynedd ar hugain o gyhoeddi *Y Rhwyd* dro'n ôl, mae'n siwr bod rhai o'r darllenwyr wedi troi at hen rifynnau sydd ganddynt. Mae casgliad gweddol gyflawn o'r dechrau gennyf innau. Wrth fynd trwyddynt, rhyfeddais at faint cyfraniad fy nghyfaill Edgar Jones i'r papur bro. Trwy'r blynyddoedd, daeth ei erthyglau difyr bron yn ddi-dor.

Pwy sydd nad yw'n mwynhau ysgrifennu glân, pryfoclyd, diddorol? Bu'n herian pawb ohonom yn ein tro, ac ambell waith yn lladd â phluen! Ond wrth wraidd yr erthyglau hwyliog y mae toreth o wybodaeth un sy'n llawn diddordeb ym mywyd y cylch ddoe a heddiw. Fe'n trwythodd yn neilltuol yn hanes eglwysi, ac mewn arferion eglwysig y mae mor hyddysg ynddynt. A dweud pethau digon call am ambell gapel!

Mae'n dda iawn gennyf iddo ddethol tri deg o'r ysgrifau hyn ar gyfer y gyfrol hon. Caiff ei darllenwyr eu goglais a'u dysgu, a chael blas arnynt. Melys moes mwy, ddywedwn i.

John Rice Rowlands

INTRODUCTION

When *Y Rhwyd* celebrated its twenty first birthday recently, I am sure that some of the readers sought out the old numbers they had kept. My collection goes back to the beginning and is almost complete. As I browsed through it, I was amazed that my friend Edgar Jones had contributed so much towards our local community paper. Through the years his interesting articles have appeared every month almost without fail.

Who doesn't enjoy fine, provocative and interesting writing? He has teased us all in turn, occasionally knocking us down with a feather! But underneath these humorous articles lies a great deal of knowledge acquired by one who has taken a keen interest in the life of our community, both of yesteryear and of today. He has mostly steeped us in church history and those church customs in which he himself is so well-versed. He has even managed to say some quite sensible things about a few chapels!

I am very pleased that he has selected thirty of these little articles for this volume. Its readers will be amused, educated and satisfied. I hope that this is only a taste of more to follow.

John Rice Rowlands

PERERINDOTA

Gan fod 1995 yn flwyddyn dathlu canmlwyddiant geni Cynan roedd yn naturiol imi fynd â phobl Môn am dripiau i wlad Llŷn. Pererindodau fyddaf i'n galw'r tripiau hyn gan y byddaf yn mynd â hwy i weld sawl eglwys ar y daith. I gadw cydbwysedd byddwn yn ymweld â chapeli hefyd, ac yn wir, rwy'n ofni y bydd mwy o gapeli wedi eu gweld gan drip i eglwyswyr a mwy o eglwysi gan gapelwyr. Rwy'n ymdrechu ymdrech deg i uno'r enwadau erbyn y flwyddyn 2005! Mae'n drist bod yn rhaid cloi eglwysi a chapeli y dyddiau hyn. Rwy'n cofio'r Esgob J. C. Jones yn ein hannog i gadw'n heglwysi ar agor. Mae hyn yn amhosibl heddiw oherwydd fandaliaid. Hen dro na fuasai Wardeiniaid eglwysi yn rhoi nodyn ar y drws i ddweud lle mae'r goriad i'w gael. Gyda chapeli mae rhywun yn 'Tŷ Capel' yn ateb y diben.

Pan oeddwn ar fy mlwyddyn olaf yn Ysgol Botwnnog, rwy'n cofio i Esgobaeth Bangor drefnu pererindod o Glynnog Fawr i Ynys Enlli. Gan mai teithio mewn bwsiau roeddem, ac nid cerdded fel gwir bererinion, galwodd hen wag o berson y fenter yn bererin-drip. Wel, pererin-dripiau fydd gen innau hefyd. Anodd credu y cawn neb o Fôn i gydgerdded â mi i Lŷn!

Byddaf bob amser yn gofalu bod y bws yn aros ar ben y lôn sy'n arwain at Gapel Newydd, Nanhoron. Mae hanes sefydlu'r capel yn ddiddorol iawn, er yn drist. Wedi clywed am wrhydri ei gŵr, Capten Timothy Edwards, yn India'r Gorllewin, penderfynodd Catherine Edwards, Plas Nanhoron, fynd i Bortsmouth i gyfarfod ei long ryfel. Pan gyrhaeddodd y llong y porthladd, clywodd y newydd trist: bu'r Capten farw ar y daith adref ac fe'i claddwyd yn y môr. Gallwn feddwl am gyflwr truenus y weddw ifanc. Yno roedd, mewn tref ddieithr, ar ei phen ei hun, mor bell o Lŷn. Fodd bynnag, roedd yn Portsmouth 'Dissenters', rhai wedi gadael Eglwys Loegr – 'Sentars' yn Gymraeg, sef yr Annibynwyr – a mawr fu eu gofal ohoni. Roedd yna gapel Annibynwyr ym Mhwllheli hefyd, Capel Penlan, y capel cyntaf yn Llŷn, a byddai rhai o weithwyr Nanhoron yn ei fynychu. Pan ddaeth Catherine Edwards adref yn llawn o'r grefydd newydd, penderfynodd adeiladu capel ar gwr parc y plas. Fel mewn llawer o hen blastai, roedd yn Nanhoron 'eglwys y teulu', neu 'gapel' fel roedd yn cael ei alw, a dyna paham y cafodd capel Catherine Edwards yr enw, 'Capel Newydd Nanhoron'.

Mae'r Capel Newydd wedi cael ei anfarwoli gan Cynan mewn cerdd, ac yn wir mae hanesyn diddorol iddi. Ysgrifennodd Cynan delyneg i'r

Caniadau yn 1927 a hynny ar achlysur cau un o gapeli bach yr Annibynwyr ym Môn, ac mae'n dechrau:

> Y mae capel bach gwyngalchog
> Ym mhellafoedd Gogledd Môn
> Dim ond un Cwrdd Chwarter eto
> Ac fe'i ceuir – dyna'r sôn.

Pan adeiladwyd capel gan yr Annibynwyr ym Mynytho ddechrau'r ganrif ddiwethaf, caewyd Capel Newydd Nanhoron, ond wedi'r Ail Ryfel Byd aeth Gwilym T. Jones, cyfaill Cynan, ati i gasglu arian i'w atgyweirio. Sylweddolodd Cynan fod y delyneg a ysgrifennodd am y capel ym Môn yn gweddu'n well i Gapel Newydd Nanhoron a dyna'i hailbobi:

> Y mae capel bach gwyngalchog
> Ym mhellafoedd hen wlad Llŷn...

Ni all fy ffrind ysgol, y Parchedig Emlyn Richards, wrthod cymwynas, ac yn wir, weithiau mae ganddo 'double booking'. Haf neu ddau yn ôl addawodd fynd â llond bws o'i gapel ei hun a llond bws o gapel y Fali am drip i Lŷn, a hynny ar yr un diwrnod. All neb meidrol fod ar ddau fws yr un pryd, ac felly bu'n rhaid i mi fynd ar fws y Fali a'm ffrind ar fws Cemaes. Gan imi fod yn athro yng Nghemaes am bron i ugain mlynedd, rhybuddiais fy nghriw i i beidio â chymysgu â'r teithwyr eraill, petaem yn digwydd eu cyfarfod! Druan ohonof, mae'n rhaid cymysgu yn Aberdaron, pen draw'r byd.

Yn y Gegin Fawr, a'm ffrind a minnau'n mwynhau paned, tynnodd o'i boced gopi o *Cerddi Cynan* a gofyn, 'Ydan ni wedi pasio Llanfihangel Bachellaeth, dwad? Achos rydw i eisio darllen y gerdd iddyn nhw.' Roeddynt wedi mynd heibio. Ond daeth y Diafol yn agos iawn ataf, hyd yn oed yng Nghegin y pererinion, a'm hatgoffa y byddai pobl ddiniwed Cemaes ar eu taith tuag at Nefyn yn gweld hen eglwys Penllech yn y pellafion, ac fe atebai'r diben i'r dim. Felly ar noswaith braf o haf bu'n rhaid i'r Forwyn Fair ildio ei heglwys ym Mhenllech, Llŷn, am ychydig funudau, tra oedd bws Cemaes yn araf deithio heibio, a'i throsglwyddo i'r Archangel Mihangel, fel y câi fy nghyfaill o Fethodist ddarllen mor sobr â sant:

> Yn Llanfihangel Bachellaeth
> Mae'r lle tawela 'ngwlad Llŷn...

PILGRIMAGE

1995 was the centenary of the birth of the Archdruid Cynan and it was natural for me to take some Anglesey people on trips around the Llŷn Peninsula, as Cynan was born at Pwllheli. I call these trips pilgrimages as we visit different churches on the way. To be fair to all denominations, we also visit different chapels. Sometimes I fear that if the majority of the trippers are Anglicans, we stop at more chapels and if they are Nonconformists, at more churches. This way I feel I am doing my bit to unite all denominations and prepare for a United Church in the future.

It is sad that we have to lock our chapels and churches these days. I remember the Bishop of Bangor in the fifties urging the clergy to keep their churches open at all times. This is impossible today with such vandalism around us. In fact, it would be a good thing to have a notice near church doors telling us where the key is kept. With chapels, there is someone quite often in the Chapel House.

I remember during my last year in school that a diocesan pilgrimage was arranged, starting at Clynnog Fawr and ending on Bardsey Island. We travelled in buses and not on foot as true pilgrims do. Someone christened it 'a pilgrim-trip'. So what I arranged must also have been a 'pilgrim-trip'. It would be very hard for me these days to find forty to fifty people willing to walk from Holyhead to Aberdaron.

One of the places I make sure the bus stops at is Nanhoron's 'New Chapel'. This chapel has a most interesting history. When Catherine Edwards of Nanhoron heard about the bravery of her husband, Captain Timothy Edwards, in the West Indies, she decided to go to Portsmouth to welcome him home. When his ship docked she was told that the young Captain had died on the return journey and was buried at sea. We can imagine the state of shock the young widow was in. There she was in a strange town on her own and so far from home. However, there were in Portsmouth at that time those who were known as 'Dissenters', who did not agree with the teachings of the Anglican Church and left to form their own denomination. It was they who helped Catherine Edwards. There were also some 'Dissenters' in Pwllheli, the market town of Llŷn, and they had built a chapel there. Catherine Edwards knew that some of the workers on her estate worshipped there. When she returned to Nanhoron, full of the new religion, she decided to build a chapel at Nanhoron. Most of the old manor houses had their own private chapels, and there was one at Nanhoron, so the one that Catherine Edwards built was called the new chapel, 'Nanhoron's New Chapel'.

The Archdruid Cynan wrote a poem about the chapel in 1927. By then the congregation had dwindled to nothing and it was about to be closed. As it happens, Cynan had written a poem about a chapel in Anglesey that was going to be closed but the content did not appeal to many and the poem had a lukewarm reception. When he heard of the plight of Nanhoron's New Chapel he decided to adapt the original poem and the revised version soon became one of our most loved poems, recited at Eisteddfodau and set to music.

A friend of mine from my school days, the Revd. Emlyn Richards of Cemaes, can never refuse a favour and consequently finds that he has a 'double booking' in his diary quite often. He asked me on one of these occasions to come to the rescue. Cynan's centenary year proved to be a busy one for him as well. As it happened he had promised to take both the congregation of Valley M.C. Chapel and his own congregation at Cemaes to the Llŷn Peninsula on the same day. Even my friend, full of good intentions, could not be in two buses at the same time. So I went with the good people of Valley and my friend with the good people of Cemaes. Since I had been a teacher in Cemaes Primary School for almost twenty years, I told my party not to fraternize with the other coach load! Woe betide, when we arrived in Aberdaron, the Land's End of Llŷn, they had no choice.

While I was having a cup of tea with my friend in 'Gegin Fawr', the pilgrim's kitchen, he told me that he had brought with him a volume of Archdruid Cynan's poetry. His intention on arriving there was to read to his party another of Cynan's well known poems about a church with rather a long name, Llanfihangel Bachellaeth. I explained to him that it was too late. His bus had already passed it. The Devil never misses an opportunity to mislead the faithful and he quickly whispered a suggestion in my ear. So I told my friend not to worry. I had the perfect ploy for him. Going back from Aberdaron he would see in the distance a church very much like the one he had passed. He could read the poem as the bus went by and the trippers from Anglesey would be none the wiser. So on a fine evening in August, the Virgin Mary, as Penllech Church in Llŷn is dedicated to her, had to abandon her church to 'St. Mihangel' for a few minutes while my friend, sober as a judge, read the poem about 'Llanfihangel Bachellaeth' with much expression.

LLOYD GEORGE

Er nad wyf i'n ddigon hen i gofio rhyw lawer am yr Ail Ryfel Byd, cefais fy magu yn sŵn atgofion Rhyfel 1914-18. Soniai fy mam am yr 'hogia' a oedd yn cydweini â hi y gellid darllen eu henwau ar y cof-feini hyd bentrefi Llŷn. Bu fy nhad yn y rhyfel a chael ei glwyfo yn Ffrainc. Pan wellodd, a'r rhyfel wedi dirwyn i ben, gorfodwyd ei gatrawd i fynd i Iwerddon oherwydd y terfysg yno. Soniai wrthyf am ddigwyddiad unigryw ar Stesion Caergybi. Yn ôl y ddeddf roedd gan filwr yr hawl i gael seibiant gartref cyn iddo gael ei anfon dros y môr. Oherwydd y sefyllfa gyffrous yn Nulyn ni chaniatawyd hyn, gyda'r esgus na chyfrifid Iwerddon yn wlad dramor.

Cyrhaeddodd y trên Stesion Caergybi a llifodd y milwyr ohoni, ond yna fel un, gollyngodd y cyfan eu paciau ar y platfform a gwrthod cerdded i'r llong a oedd yn eu haros yn y cei. Daeth y swyddogion a bygwth eu cosbi, a hyd yn oed eu saethu. Nid oedd dim yn tycio. Roedd y sefyllfa yn gwaethygu bob awr ac o'r diwedd penderfynodd y swyddogion fod y mater mor ddifrifol fel y dylai Lloyd George ei hun gael gwybod amdano. Wedi'r cyfan, Catrawd Gymreig ydoedd. Cysylltwyd â 10 Stryd Downing ac mae'n sicr fod y Prif Weinidog yn deall ofnau'r swyddogion. Aeth yn syth i Stesion Euston a chael trên arbennig i'w gludo i Gaergybi.

Un bach o gorff oedd Lloyd George a phan gyrhaeddodd Gaergybi, daeth allan o'r trên ar ei ben ei hun a cherdded heibio i'r milwyr i gyfeiriad y llong ac i fyny'r bont. Cyn pen dim ymddangosodd ar y bwrdd a phwyso ar rêl uwchben y milwyr. Nid dwrdio a wnaeth, ond yn ei lais treiddgar, canmol y Gatrawd Gymreig am ei dewrder yn ffosydd Ffrainc. Mae'n sicr ei fod yn ystod y daith yn y trên wedi paratoi ei araith yn fanwl. Yna torrodd i'r byw trwy ofyn i'r milwyr a oeddynt am fradychu eu cydfilwyr a gollodd eu bywydau. A fu eu haberth hwy yn marw dros eu gwlad yn ofer? Yn awr yr oedd ar eu gwlad eu hangen hwy yn Iwerddon. Yn araf, yn sain hudolus llais y Cymro bach o Lanystumdwy, dechreuodd y milwyr un ar ôl y llall godi eu paciau a cherdded i'r llong.

Arhosodd Lloyd George ar y platfform yn edrych ar y llong yn gadael yr harbwr gan chwifio ei law, a'r milwyr yn ymateb. Roedd unwaith eto wedi troi bleiddiaid rheibus yn ŵyn bach ufudd. Nid oedd syndod i'm nain gredu mai o'i boced ei hun y talai bensiwn iddi. Wedi'r cyfan 'Pensiwn Lloyd George' ydoedd!

Cyrhaeddodd yr Ail Ryfel Byd bentref Llaniestyn un bore. Roeddwn yn sefyll yno hefo'm tad ar y pryd. Roeddem wedi cael gwybodaeth fod 'faciwîs' ar eu ffordd i aros gyda ni. Nid oedd gennyf y syniad lleiaf beth oedd 'faciwîs'. Gallent fod o blaned arall cyn belled ag yr oeddwn i yn y cwestiwn. Roedd llond trên ohonynt wedi cychwyn o Lerpwl ac wedi cyrraedd Stesion Pwllheli a fflyd o fwsiau yn aros amdanynt i'w cludo i wahanol bentrefi yn Llŷn. Roeddem ar y pentref yn blygeiniol wedi inni glywed fod rhai ohonynt yn fudr iawn, ac felly'r cyntaf yn y ciw a gâi gipio'r rhai glanaf.

Harbwr Caergybi fel ag y bu a'r stesion bresennol
Holyhead harbour as it used to be and the present station

Swyddfa'r Post oedd yr unig gysylltiad rhwng y byd mawr a Llaniestyn. Roedd yna deliffon yn 'Y Post', ac yn ystod y bore bu gŵr y post yn rhedeg yn fân ac yn fuan atom hefo'r bwletin diweddaraf. Bws a oedd i fod i ddod i Laniestyn wedi mynd i ryw bentref arall oedd un neges. Yna bws a oedd i fod i fynd i bentref cyfagos am ddod i Laniestyn, a llawer neges o ansicrwydd arall yn ystod y bore. Aros a wnaethom rhag ofn iddynt ddod. Yn gynnar yn y prynhawn, ymddangosodd bws yn y pellter yn gweu ei ffordd tuag atom. (Pan welais y ffilm *Ryan's Daughter* bron ddeugain mlynedd yn ddiweddarach, daeth golygfa'r bws yn dod i'r pentref yn y Dingle, Iwerddon, â'r cyfan yn ôl imi.) Bws yn llawn mamau a babis ydoedd. Arhosodd, a mam yn agor y drws a rhythu arnom, a ninnau'n rhythu'n ôl arni hithau. 'Where's the nearest pub?' gwaeddodd. Eglurodd fy nhad fod y dafarn agosaf yn Sarn Mellteyrn, bum milltir i ffwrdd. 'Drive on,' gwaeddodd y fam enfawr a chau'r drws gyda chlep. Ufuddhaodd y gyrrwr, a dyma'r bws yn troi'n ôl, a ninnau'n edrych arno'n ymladd dringo hyd y ffordd y daeth. Troesom tuag adre'n waglaw, i fwydo'r ieir a godro. Ond roeddwn i wedi dysgu gair newydd, 'pub'.

LLOYD GEORGE

Although I am not old enough to remember much about the Second World War, I was brought up with my parents' reminiscing about the First World War. My mother always talked about the 'lads', her fellow farm workers, who were to me but names on war memorials dotted about the Llŷn Peninsula. My father was called up and was one of the thousands wounded in France. When in one of his reminiscing moods, usually on Armistice Day, always then on November the eleventh, he told me of a unique occurrence at Holyhead Station. At the end of the war, his regiment was to be sent straight from France to face the troubles in Ireland. According to military law, a soldier has the right to embarkation leave before being sent overseas. Because of the serious situation in Dublin during the uprising, that was not granted, the excuse being that Ireland was not a foreign country for the British Army.

A train full of the Royal Welch Fusiliers arrived at Holyhead Station and the whole company stepped onto the platform and 'down packed' as one and refused to move an inch. In spite of threats of a court marshal and the possibility of being shot, they refused to budge. Nothing would make them change their minds. The situation got worse as the day dragged on and there was talk of deserting. Fearing the worst, the officers decided to get in touch with the Prime Minister of the day, Lloyd George. After all he was a Welshman and this was a Welsh Regiment. When the great man heard all this he made his way to Euston Station where a train was waiting for him to take him directly to Holyhead.

Lloyd George was of a small stature and when he arrived at the station he got off the train, pushed his way through the soldiers towards the gangway of the boat that was waiting to ferry them across the Irish Sea. Within a few minutes, he appeared on deck walking towards the bow. There, leaning on the rail, he smiled benignly and with no reproach in his soft voice, started praising the Royal Welch Fusiliers, referring to their brave stand in Flanders. He paused and raised his voice, asking them if they were going to betray their comrades who had given their lives for freedom. Was their sacrifice in vain? Now, their country was asking them to do their duty in Ireland. Slowly the soldiers, one by one, picked up their packs and walked orderly up the gangway onto the boat.

Lloyd George remained on the platform for a long time waving his goodbye to his loyal soldiers. Once again he knew he had tamed ravenous wolves and turned them into meek lambs. After listening to my father I understood why my grandmother, like hundreds of other grandmothers, thought that the state pension she was receiving came from Lloyd George's own pocket, or perhaps she had been subtly persuaded by him before an election to believe that. After all it was called 'Lloyd George's Pension'.

The Second World War arrived at Llaniestyn one bright sunny morning and I was there standing in the village with my father. We had been told that the evacuees were on their way and arriving that very morning. I did not have a clue what an 'evacuee' was. As far as I was concerned it could be an alien from outer space. A trainload from Liverpool had arrived at Pwllheli Station and a fleet of buses was waiting to distribute them to various villages throughout the peninsula. We were in the village at cockcrow due to the fact that a rumour had spread that the poor wretches were a dirty lot. My father and I were the first in the queue to grab the cleanest looking one.

In those days our only link with the outside world was through the village Post Office. There was a telephone there and throughout that morning the postmaster ran back and forth with the latest bulletins from Pwllheli Station. The busload destined for Llaniestyn had gone to another village. Another message was that too many had been sent to one village and they would be diverted to us. By midday we were really confused and hungry. One or two had left the queue and gone home for lunch. My father refused to budge and his persistence was rewarded. I was the first to see the bus winding its way along the mountain road towards the village. (Many years later, while watching the film *Ryan's Daughter*, it all came back to me. The bus on its way to the village in the Dingle could have been the one that came to Llaniestyn that sunny morning.) When the bus arrived it was definitely not what I had expected. It was full of mothers with their babies.

One mother flung open the door, took one step down and peered at us, while we did exactly the same to her with our mouths wide open. 'Where's the nearest pub?' she shouted. I think my father was the only one who understood what she meant and told her it was in the next village, five miles away. 'Drive on,' she shouted to the driver, stepped back on the bus and slammed the door. The driver meekly obeyed and struggled to turn the bus around towards Pwllheli. We all stood still in utter silence until the bus finally disappeared. Then in no time the village was deserted. My father and I went home for lunch and life went on at the farm as before, except that I had learnt a new word, 'pub'.

DIAFOL

Hyd yn ddiweddar ni wyddwn i fod yna Ddiafol ym mro'r *Rhwyd*. Gwyddwn fod un o ficeriaid Caergybi wedi ysgrifennu yn ei ddyddiadur, 'Galwodd y Diafol i'm gweld fore heddiw.' Ond nid y Diafol go iawn fu'n ymweld ag ef ond ei elyn pennaf, Sgweier Penrhos.

Yn Llanbabo o bobman mae'r Diafol, yn y plwyf lle y magwyd fy ffrind Robat Trefor. Mae miloedd bob blwyddyn yn ymweld â Knock, yn Iwerddon, ond does yna hyd yn hyn ddim miloedd yn ymweld â Llanbabo. Maen nhw'n ymgasglu yn Knock oherwydd i'r Forwyn Fair ymddangos yno un nos Sadwrn yn 1879, a hynny, fel y buasai rhywun yn disgwyl, ar fur yr eglwys. Ar wal y fynwent yr ymddangosodd y Diafol yn Llanbabo. Ychydig oriau fu'r Forwyn Fair yn Knock ond mae'r Diafol wedi aros yn Llanbabo, ac i bob golwg yno y bydd.

Mae un cysur yn hyn i gyd. Nid pawb sy'n gallu ei weld. Y ffaith yw mai i'w ffrindiau'n unig y mae'n ymddangos. Gwn am rai a fu yno, ac er mynd yn ddall bron wrth syllu a syllu ar y cerrig sydd yn y wal, heb weld dim. Rwy'n cyfaddef fy mod i wedi ei weld o'n syth y tro cyntaf yr euthum i yno. Rhaid fod yr haul yn digwydd tywynnu o'r cyfeiriad iawn! Hyd yn hyn nid yw Robat Trefor wedi ei weld!

Mae yna wynebau wedi eu cerfio allan o gerrig ar waliau rhai eglwysi hefyd. Mae yna un ar wal Eglwys Llanfachraeth sy'n edrych arnaf yn fwy beiddgar nag un Llanbabo, er nad yw hwnnw'n cael ei alw'n Ddiafol gan y plwyfolion. Mae'n uchel ar ei mur ac efallai nad yw llawer wedi sylweddoli ei fod o yno, neu efallai nad eisiau cyfaddef maen nhw eu bod yn ei weld. Yn ddiweddar gwelais ddau ar fur Eglwys Llanfwrog hefyd. Mae'r dewin dŵr wedi cael ei freintio â thalent i ganfod ffynhonnau. Erbyn hyn, rwyf innau'n credu i minnau gael y ddawn o ddod o hyd i wynebau cerrig.

Swtan, Porth Swtan

Bûm yn holi beth oeddynt mewn gwirionedd ond does neb yn rhy sicr o'u dechreuad. Un peth amdanynt yw eu bod y tu allan i'n heglwysi ac fel arfer yn wynebu'r gorllewin. Mae'r cerrig y naddwyd hwy ohonynt yn wahanol i gerrig yr eglwysi hefyd ac yn gwneud i rywun gredu eu bod wedi dod o rywle arall. Mae rhywbeth hefyd am eu lleoliad. Mae'r gorllewin bob amṣer yn sefyll dros y machlud, y dydd yn dirwyn i ben a thywyllwch ar y ffordd. Ar y llaw arall mae'r dwyrain yn sefyll dros y wawr a dydd newydd ar dorri. Tybed ai hen dduwiau Celtaidd ydynt ac i'r Cristnogion cynnar wrthod eu malurio? Ond ar y llaw arall ni roesant ormod o bwysigrwydd iddynt. Mae unrhyw beth newydd, hyd yn oed crefydd, yn dod ag amheuon. Tybed ai penderfynu mai da o beth fyddai peidio â thynnu'r hen dduwiau i'w pen oedd wrth wraidd hyn i gyd? Cawn yr un sefyllfa yn Affrica ac Ynysoedd Môr y De. Mae'r un ofnau yn bodoli yno, a chawn grefydd sy'n gymysgedd o Gristnogaeth a phaganiaeth. Ac yn wir rhaid cydnabod fod hyn yn dra llwyddiannus.

Tydi'r Diafol ddim yn boblogaidd heddiw. Nid oes bellach fawr o sôn amdano. I mi ers talwm, roedd yn fyw iawn a gallwn dynnu ei lun. Roedd yn fyw i'r hen Gymry hefyd a byddent yn plannu coeden, 'Coeden gas gan Ddiafol', wrth dalcen y tŷ. Roedd yna un wrth dalcen y fferm yn Llŷn. Mi fyddai yna un hefyd wrth Swtan, Porth Swtan. Coeden ysgaw ydyw. Astudiwch goeden ysgaw yn y gaeaf pan mae'r brigau'n noeth ac fe welwch fel y maent yn tyfu blith draphlith drwy'i gilydd. Anodd iawn fyddai i'r Diafol hyd yn oed allu gwthio drwy'r rhain, ac mae'r tŷ'n ddiogel rhagddo.

A DEVIL

Until recently I did not know that there was a Devil in this part of Anglesey. I knew that one of the vicars of Holyhead, a long time ago, wrote in his diary, 'The Devil called to see me this morning', but he was referring to a visit he had from his sworn enemy, the Squire of Penrhos.

Of all places, it is in the parish of Llanbabo – where my good friend, Robat Trefor, was brought up – that the Devil is to be found. Thousands every year visit Knock in Ireland, but only a few visit Llanbabo. They gather in Knock because the Virgin Mary, one Saturday evening, appeared, as one would expect, on the church wall. The Devil appeared on the churchyard wall in Llanbabo. The Virgin Mary only stayed a few hours in Knock, but the Devil has decided to stay for good in Llanbabo.

There is one comfort from all this. Not everyone can see the Devil in Llanbabo. The belief is that he only shows himself to his friends. A friend of mine stared at the wall till he was almost blind and never saw him. I saw him straight away. I take comfort from the fact that when I went there for the first time, the sun must have been in the right direction to cast shadows where the Devil's eyes, nose and mouth are. Robat Trefor has yet to see him!

There are also faces carved out of stone on church walls around here. There is a good one on the wall of Llanfachraeth Church. As it happens, when I look up at this one it looks down at me far more threateningly than the one at Llanbabo, although it is not thought of as the Devil by the parishioners of Llanfachraeth. In fact, since it is so high up, many do not know of its existence. Recently I have also seen two on the wall of Llanfwrog Church. Water diviners have the gift of discovering water and I am beginning to wonder whether I have been given the gift of discovering devils!

I have asked those who should know who and what they really are. Also where they came from and when. Like so many other things from antiquity, no one is certain. I have noticed that they are on the outside of churches and usually facing west. I have also noticed that the texture of the stones that they are carved from is different from that of other stones in the walls. Perhaps they are special stones from a certain locality. There must also be some significance in the fact that they face west. In Christianity the west stands for the end of things. The sun rises in the east and stands for hope, a new day and a new start. The sun sets in the west and its act of vanishing over the horizon or into the sea stands for failure. If according to some scholars these stone faces are the old Celtic gods, placing them facing west signified that their power had come to an end. It is fair to ask then why were they set into the walls of churches at all. They could instead have been smashed and forgotten. The early Christians knew that these were the gods of their ancestors. There is always some uncertainty associated with a new religion. What if the old gods were displeased and decided to send their retribution upon their former worshippers? The early Christians were playing safe by incorporating them into their churches. They were not allowed inside with the worshippers, but on the way out they could be seen and if desired revered and remembered. We see the same thing happening in other countries and other cultures where Christianity and the old faiths intermingle quite happily.

Little is heard about the Devil today, but he was very real to me when I was a boy and I could draw his picture. People in the past used to grow a tree, an elder, by the house to scare the Devil. There was such a tree on our farm in Llŷn and there used to be one at Swtan, Porth Swtan. If you study the elder in winter when it has no leaves, you will notice that the branches intertwine to such a degree that it would be very difficult for even the Devil to get through, and thus it offered protection for the dwelling.

BWGAN

Pan oeddwn i'n hogyn roedd yna ddigon o fwganod yn Llŷn. Ni welais ac ni chlywais i'r un ohonynt erioed ond fe afaelodd un ynof a cheisio fy nhynnu oddi ar fy meic. Wedi bod ym Mhlas Gelliwig oeddwn. Byddwn yn byw a bod yno gan mai dyma gartref y diweddar R. Gerallt Jones. Ei dad oedd rheithor Llaniestyn ac nid oedd neb mwy croesawgar na mam Gerallt. Dyddiau'r coleg oedd y rhain, gyda gwyliau hir, yn enwedig gwyliau haf, ac amser ddim yn cyfrif unwaith y cyrhaeddai canlyniadau'r arholiadau. Byddai'n hwyr iawn arnaf yn cychwyn tuag adref weithiau.

Byddaf yn credu fod y Diafol yn chwarae triciau â mi, yn pigo arnaf ar adegau i'm profi. Ar fy ffordd adref o Blas Gelliwig roedd yn rhaid imi fynd heibio mynwent Eglwys Llaniestyn. Un noson dyma rywbeth yn gafael yn fy nghôt a'm tynnu oddi ar y beic. Os cododd gwallt pen rhywun erioed fe ddigwyddodd i mi yr eiliadau hynny. Roeddwn i a'r beic ar ein hochrau ar y ffordd. Bob tro y ceisiwn symud, symudai'r beic gyda mi. Wedi hir ymbalfalu yn y tywyllwch, sylweddolais fod fy nghôt law wedi mynd i'r olwyn ac wedi cordeddu am y sbocs. Yn sicr crechwenai'r Diafol.

Gweld a theimlo bwgan a wnaeth tad Gweirydd ap Rhys wrth Eglwys Llanfigael. Siôn Robaits oedd ei enw a dechreuodd weini yn

Nhremoelgoch Fawr yn 1781. Un noson aeth i Fynydd y Gof, Bodedern, i weld y forwyn. Roedd wedi cwympo mewn cariad â hi. Aeth at y fferm a thaflu cerrig mân at ffenestr ei llofft. Agorodd hithau'r ffenestr a dweud wrtho am fynd adre. Nid oedd Siôn yn un am dorri ei galon ac arhosodd o dan y ffenestr am oriau. Fodd bynnag, o'r diwedd, derbyniodd ei rawd. Roedd yn rhaid iddo wynebu'r ffaith mai siwrnai seithug a gawsai. Yn drist ei galon, trodd ar ei sawdl.

Gwyddai fel pawb arall yn y fro fod yna fwgan ym mynwent Eglwys Llanfigael. Byddai'n rhaid iddo basio'r fynwent ar ei ffordd yn ôl i lofft stabl Tremoelgoch Fawr. Yr oedd angen dyn dewr i wneud hynny yr adeg honno o'r nos.

Wrth groesi pont yr Alaw, dechreuodd chwibanu. Y gred oedd fod chwibanu yn cadw bwganod draw. Ac yntau hanner ffordd drosodd, dyma gloch yr eglwys yn dechrau canu. Dim canu'n naturiol fel ar y Sul ond cnulio fel amser angladd. Safodd heb allu symud llaw na throed. Dal i gnulio a wnâi'r gloch. Nid oedd ganddo ddewis ond cerdded ymlaen. Daeth at wal y fynwent. Roedd ei dad wedi ei gladdu yn y fynwent. Cofiodd i rywun ddweud wrtho fod rhai yn clywed y gloch a fyddai'n cnulio yn eu hangladd yn ystod eu bywyd. Fferrodd ei waed. Dyma beth oedd yn digwydd iddo ef. Dyma arwydd pendant iddo. Byddai gyda'i dad yn y fynwent yn fuan iawn.

Aeth ymlaen at giât y fynwent. Nid oedd taw ar y gloch. Yn y gwyll gwelai rywbeth wrth wal yr eglwys. Beth petai rhywun yn chwarae tric ag ef? Mentrodd drwy'r porth ac ymbalfalu hyd wal yr eglwys. Yn sydyn dyma ei law i ganol rhywbeth blewog. Roedd y bwgan yno mewn gwirionedd ac yntau yn ei gyffwrdd. Ond bagiodd y bwgan yn ôl. Yr oedd yna ddau o bethau gwyn uwchben y duwch. Roedd gan y Diafol ddau gorn! Chwythodd y Diafol yn fygythiol a rhedodd Siôn nerth ei goesau am Dremoelgoch Fawr.

Nid oddi fewn ond oddi allan i'r eglwys y mae rhaff cloch Eglwys Llanfigael. Bore trannoeth sylwodd Siôn fod y rhaff yn fyrrach nag arfer. Rhaffau gwellt oedd yn yr oes honno ac roedd un Llanfigael yn amlwg wedi cael ei bwyta. Gwyddai Siôn nad y Diafol nac unrhyw fwgan a fu'n bwyta'r rhaff wellt ond anifail blewog hefo dau gorn, ac yn chwythu'n fygythiol. Hen fuwch ddu Gymreig oedd y bwgan wedi cael giât y fynwent ar agor ac wrth dynnu ar y rhaff wellt i'w bwyta, yn canu'r gloch.

Nid colli ei gariad yn unig a wnaeth Siôn Robaits y noson honno ond colli ei gred mewn bwganod hefyd. Aeth y stori fel tân gwyllt trwy'r plwyf ac ni chlywodd neb am fwgan Llanfigael byth mwyach.

Rhaff cloch Eglwys Llanfigael
The bell rope of Llanfigael Church

A GHOST

When I was a boy there was no shortage of ghosts or bogeymen in the Llŷn Peninsula. I never saw one or heard one, but one did grab me and tried to pull me off my bike. I was on my way home from Plas Gelliwig. I used to spend a lot of time there with my childhood friend, the late R. Gerallt Jones. His father was the Rector of Llaniestyn and there was no one kinder than Gerallt's mother. I encountered the ghost during my college period. The best days of my life were those long holidays, especially the summer holidays after the examinations results. Sometimes it would be late before I left Plas Gelliwig.

I believe that the Devil pays me his special attention on certain days, as if he picks me out of the entire human race to test me. It must have been on one of those days, with nothing going right, that he asked a ghost to frighten me. On my way home from Gelliwig I had to pass Llaniestyn churchyard and on this particular evening it was pitch dark, rather windy, and the battery of my lamp had well passed its expiry date. All of a sudden, something or someone was pulling on my coat and caused me to fall off my bike. If ever a poor soul was petrified, I was. I am sure every hair on my head stood on end and my face was numb. I found myself against the churchyard wall, not able to budge. I somehow had been glued against the frame of my bike and every time I tried to move, the bike moved with me. Somehow I managed to free my arms from the sleeves of my coat and then realised that the bottom of my coat had got entangled in the spokes of the wheel. With Homeric effort I was able to turn the wheel backwards and slowly, as the tension slackened, my coat became disentangled, but was covered in oil. Going home, I was sure I could hear the Devil laughing on the other side of the hedge.

In 1781 Siôn Roberts, the father of Gweirydd ap Rhys, not only saw the Devil but also got so near to him that he was able to touch him. He was a farm labourer at Tremoelgoch Fawr and one evening, after finishing his duties, decided to visit his sweetheart, the dairy maid at Mynydd y Gof, Bodedern. It was rather late when he started off and when he arrived at the farmhouse it was in complete darkness. He knew where his sweetheart slept so he carefully threw a few pebbles at her bedroom window. In no time she appeared above him and told him in no uncertain terms to leave at once. He pleaded with her to come down and even told her how much he loved her, but to no avail. She closed the window as quietly as she had opened it, leaving poor Siôn Roberts standing forlorn in the yard below. He sat on the wall staring longingly at the window, hoping that she would change her mind, but she never did. With a heavy heart he turned towards Tremoelgoch Fawr.

As he walked along the lane, not a single light could he see in any farm. He must have been sitting on the wall much longer than he thought. It was pitch dark and he knew he had to pass Llanfigael churchyard. Everyone knew there was a ghost in that particular churchyard and some would make a detour for miles rather than pass it after dark. Siôn decided to return to Tremoelgoch the same way as he had come.

He came to the bridge that crossed the river Alaw which was quite near to the churchyard. He knew that whistling would help but before he could do anything, he was paralysed from head to foot. Someone was ringing the church bell, actually not ringing but tolling. How long he stood there like a statue is not certain, but slowly his heart started to beat once more and he moved stealthily towards the churchyard wall. His father was buried in that churchyard. He had been told that some people, during their lifetime, could hear the actual bell that would toll at their funeral. This was a premonition of his death. Before long he would be joining his father in the churchyard. He dragged himself along the wall and reached the gate, which was open. As if mesmerised, he entered the churchyard and although it was pitch dark, found the corner of the church. He felt his way along the wall. Without warning he touched something furry. The bell stopped and there in front of him rose two white objects. Here without a doubt was the Devil himself. He was certain of it. The Devil had a pair of horns. Siôn Roberts was out of the churchyard in two seconds.

As it happens, the bell rope of Llanfigael Church was, and still is, outside and when Siôn Roberts cast a quick glance on his way to Bodedern the following morning, he realised that the rope was much shorter than usual. He stopped to ponder. In those days ropes were made of straw. He smiled and gave a sigh of relief. It was not the Devil tolling the bell but one of the cows from the nearby farm, finding the churchyard gate open, had gone in and started to chew the straw rope and in doing so was tolling the bell.

We do not know whether Siôn Roberts ever forgave his sweetheart but no one ever since that evening has seen the Devil or even a ghost in Llanfigael churchyard.

PABO

Nid effeithiodd treiglad y canrifoedd fawr ar blwyf Llanbabo. Ni fu'n rhaid ehangu'r eglwys gan i nifer y plwyfolion aros yn debyg o genhedlaeth i genhedlaeth. Nid yw'r fynwent yn fawr chwaith o gofio fod yna gladdu wedi bod yno am fil a hanner o flynyddoedd. Mynwentydd bychain sydd i'n hen eglwysi oherwydd ailgladdu yn yr hen feddau fyddai'r drefn, gyda chaniatâd i ailagor bedd wedi i gan mlynedd fynd heibio oddi ar gladdu'r olaf ynddo. Mae mynwent Llanbabo yn Geltaidd gron, heb gongl ynddi i'r Diafol lechu. Gyferbyn â phorth y fynwent mae murddun. Ty'n Llan yn sicr ydoedd ac ystafell wrth ei ochr gyda drws yn arwain yn syth i'r ffordd ac heb ddrws i'r tŷ. Dyma ystafell y person. Gallai fynd yno wedi gwasanaeth y bore i aros tan y brynhawnol weddi.

Oddi fewn i Eglwys Pabo y mae ei thrysor. Yno mae 'Carreg Fedd y Brenin Pabo'. Ia, roedd Pabo yn frenin. Ychydig yn unig a ŵyr yr haneswyr amdano. Dywed traddodiad iddo ffoi rhag ei elynion o ogledd Lloegr a derbyn lloches ym Môn. Fodd bynnag, mae hanes diddorol i'w garreg fedd.

Rhyw dri chan mlynedd yn ôl, roedd clochydd Llanbabo yn agor bedd pryd y trawodd ei gaib yn erbyn carreg enfawr. Heb yn wybod iddo roedd wedi dod o hyd i garreg fedd Pabo. Mae ôl y gaib i'w weld arni. Aed â'r garreg i'r eglwys a'i gosod ar y mur gogleddol.

Mae llun brenin wedi ei gerfio arni, brenin barfog, gyda choron ar ei ben, a theyrnwialen yn ei law. Mewn Lladin, ysgrifennwyd arni: 'Yma y gorwedd Pabo Post Prydain, Cyffeswr. Gruffydd ab Ithel sy'n cyflwyno'r cerflun'.

Dywed yr arbenigwyr i'r garreg gael ei cherfio yn y bedwaredd ganrif ar ddeg, ond roedd Pabo yn byw yn y chweched ganrif. Pam tybed y bu'n rhaid i 'Bost Prydain' aros gyhyd heb garreg fedd? Hefyd paham y gosododd Gruffydd ab Ithel hi?

Efallai fod yr ateb i'w gael yn Eglwys Llaniestyn, Môn. Mae carreg gyffelyb yno, carreg fedd Iestyn Sant. Mae hithau'n perthyn i'r un cyfnod, y bedwaredd ganrif ar ddeg, ond mae mewn gwell cyflwr nag un Pabo. Hawdd yw darllen yr ysgrif arni: 'Yma y gorwedd Sant Iestyn. Mae Gwenllian ferch Madog ap Gruffydd ap Gwilym yn cyflwyno'r cerflun hwn er lles i'w heneidiau'. Mae'r geiriau olaf, 'er lles i'w heneidiau', yn gwbl allweddol i egluro'r cyfan. Dyna a wnaeth Gruffydd ab Ithel hefyd; cyflwyno'r garreg 'er lles i'w enaid'. Felly nid cerrig beddau mohonynt mewn gwirionedd, ond dwy allor. Mae un ochr i garreg Pabo yn ategu hyn. Nid oes cerfiadau arni. Felly, ar un adeg roedd yn erbyn y mur, fel y disgwylid i allor fod. Ar y garreg-allor yr offrymai'r offeiriad y 'Mass' er lles enaid Gruffydd ab Ithel, gan erfyn ar Pabo Sant i weddïo drosto, fel yr offrymai'r offeiriad ar garreg-allor yn Llaniestyn er lles eneidiau Gwenllian a'i hynafiaid. Po amled y paderau, lleied y dyddiau ym Mhurdan.

Mae hen rigwm ar lafar gwlad o hyd am fan claddu Pabo a'i wraig:

Yn Llannerch-y-medd ym Môn, do
Y claddwyd Brenin Pabo,
A'r frenhines hardd ei gwedd
Ym mynwent Eglwys Ceidio.

Mae'r rhigwm felly'n hanesyddol gywir gan nad carreg fedd Pabo sydd yn Eglwys Llanbabo. Yn Eglwys Ceidio, hen eglwys Llannerch-y-medd, y dylai honno fod.

Eglwys Pabo
St. Pabo's Church

PABO

The passage of time has not affected the parish of Llanbabo. There was no need to enlarge the church since the number of parishioners did not change much from generation to generation. The fact that the churchyard is small, considering it has been in use for over fifteen hundred years, is not an indication that only a few have been buried there; other Celtic churchyards in remote parishes are small because it was the custom to bury in the same graves over and over again. The law allowed an old grave to be re-opened if a hundred years had elapsed since the last burial in it. Llanbabo's churchyard is round to ensure that there are no corners for the Devil to hide and pounce on the faithful on their way to and from church on Sundays. Opposite the churchyard gate there is a house, now almost in ruin. This was Ty'n Llan (Church House), and alongside it there is a room. It has only one door and that opens straight onto the road and not into the house. This lean-to must have been a 'parson's room'. There he could sit and wait, and no doubt be fed, between services.

The treasure of St. Pabo's church is within. There you will find 'King Pabo's tombstone'. Yes, St.Pabo was a king. In fact, little is known of him except that, according to tradition, he fled from his enemies in northern England and found a safe haven in Anglesey. The history of his 'tombstone' is most interesting.

Beddfaen y Brenin Pabo
King Pabo's tombstone

Three hundred years ago, the sexton was digging a grave when his pick hit a huge slab of stone. Little did he realise that he had discovered a royal tombstone. The mark of the pick is still to be seen on it. The stone was taken inside the church and placed against the north wall where it still lies. Carved on it is an image of a king, a bearded king, with a crown on his head and a sceptre in his hand. On the stone in Latin is the inscription, 'Here lies Pabo the Upholder of Britain, Confessor. Gruffydd ah Ithel offers this image'.

When experts explained that the carvings on the stone were from the fourteenth century, many questions were asked. Why did King Pabo, who lived and died in the sixth century, have to wait such a long time for a tombstone? Why, also, was it left to Gruffydd ab Ithel, whoever he was, to perform this noble act?

These questions can be answered if we study a similar tombstone in Llaniestyn, near Llanddona, Anglesey. The tombstone of St. Iestyn was also carved in the fourteenth century and is in a far better condition than that of St. Pabo. The inscription can easily be read: 'Here lies St Iestyn. Gwenllian daughter of Madog son of Gruffydd son of Gwilym offers this image for the health of their souls.' The key to both stones is in the phrase, 'for the health of their souls'. So the two stones are not tombstones at all, but altar stones. One side of Pabo's stone proves this beyond doubt since nothing has been carved on it. As an altar, that side would be against a wall. On the stone, the altar, the priest in the Middle Ages would offer Mass 'for the good of the health of the soul of Gruffydd ab Ithel' and ask St. Pabo to pray for him. Likewise at St. Iestyn's church, the priest would pray for Gwenllian and her ancestors. The more Masses that were said for the departed, the fewer their days would be in Purgatory.

There is an old rhyme that is still recited in Anglesey about King Pabo and his Queen. Roughly translated it goes:

In Llannerch-y-medd in Anglesey
King Pabo was buried,
As well as his fair Queen,
In the churchyard of Ceidio's Church.

So the old rhyme is historically correct because the stone in Llanbabo Church is not a tombstone but an altar stone. The tombstone should be in St. Ceidio's Church, in the old parish church of Llannerch-y-medd, about a mile west from where the village is today.

LLYFR LOG

Mae Rhoscolyn yn un o'r ychydig blwyfi ym Môn sydd heb gael ei enwi ar ôl nawddsant yr eglwys, neu fel mae'n digwydd yno, nawddsantes. Gwenfaen yw'r santes ac roedd yn byw yn y chweched ganrif. Mae'n rhaid nad oedd ar yr Eglwys Geltaidd ofn merched neu ni fuasent wedi gadael iddynt sefydlu eglwysi. Heb fod nepell, mae eglwys Ffraid yn Nhrearddur ac eglwys Dwynwen yn Llanddwyn.

Anodd esbonio'r enw 'Rhoscolyn' oherwydd ni wyddom pwy oedd 'Colyn', heblaw ei fod yn amlwg yn berchen ar 'ros'. Mae rhai yn honni mai gair Gwyddeleg yw ac yn ei gysylltu â 'coleen'. Gyda'r cysylltiadau agos rhwng y rhan hon o Fôn ac Iwerddon, mae hyn yn bosibl. Ni wyddom chwaith pwy oedd 'Neigr' a oedd yn byw dros y dŵr yn Rhosneigr – hwn hefyd yn berchen rhos. Gallwn fod yn sicr o un peth, sef bod yr enwau hyn yn hen iawn ac yn perthyn i oes cyn dyfodiad Cristnogaeth i Fôn.

Pan oeddwn i'n gurad Caergybi, roedd Rhoscolyn yn gyfystyr imi â 'Mr Banks'. Y Parchedig Reginald Banks oedd 'esgob' y lle, ac Eglwys y Santes Gwenfaen yn gannwyll ei lygad. Gŵr bonheddig yng ngwir ystyr y gair oedd Mr Banks. Wedi'r Rhyfel Byd Cyntaf, ac yntau'n swyddog ifanc yn y fyddin, daeth yn athro i'r ysgol fonedd a oedd yn Nhrearddur, 'Trearddur House'. Prynodd dŷ urddasol yn Rhoscolyn ac yno y bu am weddill ei oes. Yn ystod yr Ail Ryfel Byd, â chymaint o bersoniaid yn Gaplaniaid yn y lluoedd arfog, bu'n gwasanaethu yn Eglwys Rhoscolyn, cael ei ordeinio'n offeiriad, ac erbyn i mi gyrraedd Caergybi, ef i bob pwrpas oedd mewn gofal o'r plwyf. Dysgodd Gymraeg yn berffaith – hynny yw, dysgodd ysgrifennu Cymraeg yn berffaith – ond darllenai'r gwasanaethau ag acen Rhydychen, gan wneud i rywun gredu na ddaeth y Diwygiad Protestannaidd i Eglwys Gwenfaen a bod yr iaith yn parhau'n Lladin! Gwyddai Mr Banks nad oedd ei ynganu fel y dylai fod, a phan awn ato i wasanaeth byddai ef, yn ôl arferiad yr eglwys, yn ledio'r emyn wrth y drws. Ar ôl gwneud hynny, yn sŵn yr organ, sibrydai yn fy nghlust, 'Or words to that effect'.

Un o'r pethau gwerth chweil yn Rhoscolyn yw hen lyfr log yr ysgol, a hynny am fod un prifathro wedi croniclo digwyddiadau'r ysgol fel petai'n ysgrifennu yn ei ddyddlyfr personol. Ar 28 Gorffennaf 1879 y dechreuodd Mr Evan Davies yn ei swydd newydd. Roedd yr ysgol wedi bod ar gau am gyfnod a'r plant ar ei hôl hi'n arw gyda'u gwersi, a'r rheswm am hynny, yn ôl y brws newydd, oedd 'the inefficiency of some of my predecessors'. Methodd yntau â chael trefn hefyd hyd nes iddo fynd â hwy i gyd allan un prynhawn am 'special drill'. Trannoeth gallai gofnodi, 'marked improvement'. Gwn y buasai athrawon heddiw'n falch iawn o wybod beth tybed oedd y 'special drill' a gafodd plant Rhoscolyn yn 1879.

Gelyn mawr Evan Davies oedd y gweinidog Methodist, nid oherwydd unrhyw beth diwinyddol ond am iddo, yng nghyfarfod y Llywodraethwyr, awgrymu y dylid cwtogi cyflog y prifathro, a'r rheini'n gwrando arno. O hynny ymlaen, fel 'the bigoted turncoat' y cyfeirir at y gweinidog yn y llyfr log.

Eilbeth i ennill bara beunyddiol oedd addysg i rieni Rhoscolyn yn y bedwaredd ganrif ar bymtheg. Yn yr hydref byddai llawer o blant yn absennol am eu bod yn 'drawing potatoes'. Yr oedd cyfarfodydd eraill yn y plwyf yn cael blaenoriaeth ar yr ysgol hefyd. Câi'r prifathro y gwyllt pan gyrhaeddai'r dosbarth yn y bore a dim ond ychydig o blant wrth y desgiau a hynny oherwydd 'that Chapel'.

Eglwys St. Gwenfaen, Rhoscolyn
St.Gwenfaen's Church, Rhoscolyn

Mae tystiolaeth iddo ddioddef cryn lawer o oerni am y gwrthodai'r Llywodraethwyr brynu glo iddo, ond daeth i ben ei dennyn un diwrnod ac aeth am un ohonynt a'i orfodi i ddod i'r ysgol. Roedd hyn yng nghanol Tachwedd a'r diwedd fu i lo gael ei brynu, 'because the cold was so intent'. Hawdd credu hynny.

Chwarae teg i'r prifathro, roedd o wedi'r cyfan yn ffrind i'r werin dlawd. Pan ddeuai cipar Plas Bodior i'r ysgol i gwyno fod rhai o'r bechgyn yn botsiars, 'a mild caution' yn unig a gaent. Pan fu rhai'n dwyn rwdins, dim ond 'a slight punishment' a gafodd y rheini hefyd. Ond gallai fod yn llym, fel y bu un diwrnod wrth i rai wneud 'unpleasant sounds' tra dywedai eraill y tablau. Mae'n rhaid fod y Gweinidog Methodist wedi edifarhau am iddo ostwng ei gyflog. Daeth i'r ysgol yn glên iawn un diwrnod. Ond nid oedd dim yn tycio, 'his guilty conscience is intolerable'. Pechodd y person hefyd pan ddaeth gwahoddiad o'r Rheithordy i'r plant fynd yno i de parti cyn y Nadolig. Taflwyd dŵr oer dros y cyfan gan fod yna nodyn hefo'r gwahoddiad i atgoffa'r prifathro mai parti ydoedd 'to the children of the well to do'.

Mae'n amlwg fod Evan Davies yn hoff o fiwsig a bu'n dysgu caneuon newydd i'w ddigyblion fel *England my England* a *Hard times are coming*. Pan ymwelodd curad Llanfaelog, ei unig ffrind yn ôl pob golwg, â'r ysgol, roedd wedi gwirioni hefo'r canu a bu'n rhaid iddo gael eu clywed am yr eildro. Roedd y curad a'r prifathro yn sicr yn dyheu am y porfeydd gwelltog dros Glawdd Offa.

Mewn un peth roedd ymhell o flaen yr oes. Gofynnodd am ymddeoliad cynnar, ac fe'i cafodd, a hynny ar 26 Hydref 1883. Rheswm anarferol a'i hysgogodd i ffarwelio â Rhoscolyn, sef mynych absenoldeb y plant. Dilynodd James Evans ef yn syth, a'i sylw cyntaf ef yn y llyfr log oedd 'The children are most unruly'.

LOG BOOK

Rhoscolyn is one of the few parishes in Anglesey that has not been named after its patron saint. The church is dedicated to Gwenfaen, a saint who lived in the sixth century, and a woman, which proves that the Celtic Church was not anti-feminist. Indeed, there seems to be no opposition to women in this part of Anglesey as we have St. Ffraid's Church in the next parish and over the bay, on an island, St. Dwynwen's Church.

How does one explain the name 'Rhoscolyn'? 'Colyn' must be a personal name and he must have owned a 'rhos' (heath). Some maintain that it is an Irish name and that 'Colyn' corresponds to 'Colleen'. After all Rhoscolyn is not far from Ireland, and St. Ffraid sailed all the way from there on a piece of turf! 'Armchair phonology' is a dangerous -ology; in other words, surmising without proper research. Rhosneigr is not far from Rhoscolyn and there 'Neigr', another personal name, also must have had a 'rhos'. From all this we have to admit that it is impossible to be sure about the derivation of Rhoscolyn but we can be certain that it is one of the oldest names in Anglesey, going back to pre-Christian days.

When I was curate of Holyhead, to me Rhoscolyn was synonymous with 'Mr Banks'. The Revd. Reginald Banks was the unofficial 'bishop' of that area and St. Gwenfaen his 'personal cathedral'. Mr Banks was a gentleman in the true meaning of the word. After the First World War he came to teach at 'Trearddur House', a public school for boys in Trearddur Bay. He bought a fine house in Rhoscolyn and lived there, a contented bachelor, for the rest of his life. During the Second World War, when many of the local parsons became chaplains, he helped by conducting Sunday services, as a lay reader, in various churches, and especially at

St. Gwenfaen's. Later on he was ordained priest and thought it was high time for him to learn Welsh. Naturally his written Welsh was perfect but he spoke the language with an Oxford accent. Without being cruel, one could not be blamed for thinking that the Reformation had not yet reached Rhoscolyn and that the Latin Mass was still in order! He was aware of his shortcoming and when I used to help him on a Sunday evening, he would announce the first hymn from the back of the church, read the first verse and whisper in my ear, 'Or words to that effect'. It did not matter. The Almighty knew the words, and we had them in front of us.

Rhoscolyn has a gem; the school's log book. One headmaster recorded the daily events of the school as if he was writing his personal diary. On the 28 July 1879 Mr Evan Davies arrived as headmaster. The school had been closed for some time which, according to the log book, had a detrimental effect on the pupils. But that was not the only reason, according to the new headmaster. It was also because of 'the inefficiency of some of my predecessors'. There was very little discipline there when he arrived and one afternoon he came to the end of his tether. He took all the pupils out to the yard and he gave them a 'special drill'. The following day he could record 'a marked improvement'. Every teacher today would truly like to know what 'special drill' was given to Rhoscolyn children that afternoon in 1879.

He felt he had a special 'enemy', the Methodist Minister. This was not on theological but mercenary grounds. During a Managers' meeting, the Methodist Minister suggested that there should be a reduction in the headmaster's pay, and the other Managers welcomed the suggestion. No wonder that the Minister from that day onward was referred to as 'that bigoted turncoat'.

It appears that the education of their children was not high on the list of priorities among the parents of Rhoscolyn. In autumn there were many absentees due to 'drawing potatoes'. Other activities in the parish kept the children away from school. More than once he saw red when he arrived in school to discover that most of the children were absent because of 'that Chapel'.

The headmaster was sometimes chilled to the bone because the Managers refused to buy coal. One afternoon in November, he ran out of school and with brute force compelled one of the Managers to feel for himself the arctic conditions he had to endure. The following day a cartload of coal arrived in the school yard.

Whilst he may have been lacking in social graces, he was a champion of the poor. When the gamekeeper called to complain that some of the boys were poachers, he only administered a 'mild caution'. When a farmer complained that some of the children had helped themselves to a few swedes on their way from school, they also were only given 'a slight punishment'. When the Rector called at the school inviting the children to the Rectory for a Christmas party, he was highly delighted. It was all ruined when the Rector's wife called the following day reminding him that she only expected to see 'the children of the well to do' in her house.

He could be firm. One boy was caned for making 'unpleasant sounds' while the other children recited the tables. There was no forgiveness for some. The Methodist Minister repented for docking his wages and called at the school 'grovelling', but to no avail – 'his guilty conscience is intolerable'.

From the entries, we see that Evan Davies was musical and he used to teach new songs to his pupils, such as *England my England* and *Hard times are coming*. When the curate of Llanfaelog, apparently his only friend, visited the school, he was so pleased with the musical rendering that he asked for an encore. The curate and headmaster obviously longed for those greener pastures on the other side of Offa's Dyke.

In one respect he was years before his time. He asked for an early retirement! This was granted and for the strangest of reasons, absenteeism. James Evans was immediately appointed to the post and his first entry was 'The children are most unruly'.

CAPEL MWD

Un o fanteision bod yn athro ysgol yw gwyliau haf, neu a oedd, a bod yn hollol gywir, cyn i bethau fynd yn wyllt wallgof ym myd addysg ac achosi i rai athrawon gyflawni hunanladdiad hyd yn oed. Chwech wythnos i jarjio'r batri oedd yr hen drefn, fel y byddai'n bosibl wynebu blwyddyn ysgol newydd gydag awch.

Un gwyliau haf cefais wahoddiad gan y diweddar John Roberts, Llannerch-y-medd, i fynd gydag ef i weld 'Capel Mwd'. Roedd eisiau imi sylweddoli fod yna gapeli hanesyddol ym Môn yn ogystal ag eglwysi.

Gadawsom Lannerch-y-medd a theithio i gyfeiriad Rhos-y-bol, troi i gyfeiriad ardal y Parc ac am droed Mynydd Parys. Wedi troi a throsi, a phob lôn yn arwain at un gulach, daethom at lidiart a hwnnw wedi ei gau'n fygythiol iawn o'n blaenau. Nid oedd dim i'w wneud ond dringo drosto a gadael y mini wrth y ffos. Yn y pellter yr oedd llwyn o goed a thrwy'r dail gallwn weld beth a dybiwn i oedd to capel a chorn y Tŷ Capel.

Adeiladwyd y capel gwreiddiol yn 1776 a hynny o dywyrch a mwd, sy'n egluro'r enw, ac eithin yn do iddo. Roedd yna gryn wrthwynebiad i adeiladu'r capel a phob nos byddai rhywun, neu rywrai, yn dymchwel y gwaith a wnaethpwyd yn ystod y dydd. Aeth hyn ymlaen am wythnosau hyd nes i gawr o ddyn benderfynu cadw gwyliadwriaeth bob nos. Buan y cwblhawyd y gwaith.

Erbyn 1847 roedd y capel mewn cyflwr drwg a phenderfynwyd ei dynnu i lawr ac adeiladu un newydd sbon – capel o gerrig a tho llechi iddo y tro hwn yn naturiol. Drwy'r blynyddoedd ni newidiwyd dim arno, oddi fewn nac oddi allan. Yn drist mae wedi cau ers llawer dydd bellach a neb erbyn hyn yn gofalu amdano. Mae tyllau yn y ffenestri, y llechi yn llithro oddi ar y to, y drws wedi pydru a'r giât wedi disgyn oddi ar ei cholyn. Yn fuan iawn ni fydd yno ond pentwr o rwbel. Hen dro iddo gael ei adeiladu mewn llecyn mor anghysbell neu byddai'n werth codi cronfa i'w atgyweirio.

Capel Mwd
Mud Chapel

Anodd credu fod capel yno o gwbl. I mi edrychai fel petai popeth yn ei erbyn o'r cychwyn. Mae yn y gornel wlypaf o'r cae ac afon yn rhedeg drwy gors nid nepell oddi wrtho: y meistr tir mae'n amlwg yn rhoi'r darn mwyaf di-werth iddynt. Yr hyn a'm synnodd yn fawr oedd maint y fynwent. Ni allwn gredu y byddai neb eisiau cael ei gladdu yn y fath le. Ond i'r gwrthwyneb, ac yn wir bu'n rhaid cael darn ati. Yn naturiol y darn agosaf i'r gors a gafwyd. Synnais fwy wrth ddarllen yr enwau a'r cyfeiriadau ar y cerrig beddau. Yr oeddynt o bob cwr o Fôn, ac ymhellach. Mangre annwyl iawn i'r hen ffyddloniaid oedd hon yn sicr a gwreiddiau'r teuluoedd yn ddyfn iawn yn y fangre.

Yn *Llawlyfr y Bedyddwyr* am 1954, ceir disgrifiad o'r capel: 'Y mae iddo bulpud uchel a sedd fawr heb fath o glustog. Ni cheir clustog yn un o'r seddau chwaith.' Rwy'n cofio fy mam yn wfftio at gymdoges am iddi fynd â chlustog gyda hi i'r capel un nos Sul, ac yn waeth fyth, ei gadael yno. Nid lle i fod yn gyffyrddus oedd capel! Dywed y *Llawlyfr* ymhellach: 'Mae'r gadair yr arferai Christmas Evans eistedd arni yn y sedd fawr o hyd ac mae'r Llestri Cymun a ddefnyddid ar gael.' Tybed beth sydd wedi digwydd i'r gadair ac i Lestri'r Cymun erbyn hyn?

Er bod hoelion wyth yr enwad, fel Christmas Evans a'r Parchedig Athro John Rice Rowlands, wedi pregethu o'r pulpud, tybed a eisteddodd un o'r ddau yn sedd-y-pechaduriaid? Oes, mae yna sedd-y-pechaduriaid yn y Capel Mwd, yr unig un y gwn i amdani. Eisteddais ynddi, a phan adawodd John Roberts y capel i dwtio beddau ei anwyliaid, codais ar fy nhraed ac yn null fy hynafiaid, yr hen Ymneilltuwyr, cyffesais fy mhechodau yn uchel. Hawdd oedd gwneud, a neb ond yr Hollalluog yn gwrando arnaf!

MUD CHAPEL

One of the benefits of being a teacher, or was in the days before teachers committed suicide or had mental breakdowns, was the summer holidays. Six weeks to recharge the batteries to enable one to start the new academic year full of enthusiasm.

One summer holiday I was invited by the late John Roberts, of Llannerch-y-medd to accompany him to 'Capel Mwd' (Mud Chapel). He wanted me to realise that there were some very interesting chapels on Anglesey as well as churches.

On a fine afternoon, after an early lunch, we left Llannerch-y-medd and travelled towards Parc, by the foot of Parys Mountain. It was a meandering journey through lanes getting narrower and narrower. At last, we came to a halt. A huge iron gate blocked the road. Mr Roberts informed me that it was quite safe to park the car there since it was a disused track. We both left the mini in a bone-dry ditch. In the distance, across a field, I could see a coppice and through the leaves, a roof and a chimney. I surmised that it was the chapel and the chapel house by its side.

The original chapel was built in 1776 with turf and mud, hence its name, 'Mud Chapel'. In the eighteenth century there was much opposition to the Nonconformist Movement in Anglesey. All the work done on the Chapel during the day would be pulled down during the night. This went on for weeks until a giant of a man let it be known that he was going to be on watch there every night until the building was completed. A threat from a giant was enough to keep the most ardent Anglican away and the work was soon completed.

By 1847 the building was in a bad state of repair and so it was decided to pull it down and build a new chapel, not of mud but of stone with a slate roof. From the day the new Chapel was opened until the day it closed, nothing was changed, neither inside nor outside. It remained a perfect example of a mid-eighteenth century chapel.

By today the worshippers have all gone and no one shows the slightest interest in it. Windows are broken, slates blown off the roof and the door fallen off its hinges. Very soon it will only be a heap of rubble. It would be worthwhile starting a fund to restore it but the locality is so isolated that vandals would have a field day there.

Looking around, it is hard to believe that anyone would consider building a chapel in such an isolated spot. There is nothing to be said for having any kind of building there. It is in the wettest corner of the field with a river running through a marsh nearby. Obviously the landowner gave them such a plot of land thinking its condition would break their hearts before they even started building. But nothing could cool the enthusiasm of the early Nonconformists.

What amazed me was the size of the cemetery. I could not understand why anyone wanted to be buried there. But they really did and the original cemetery around the Chapel had to be extended. More land must have been given to them, but sadly it was nearer the marsh. I was more amazed when I read the inscriptions on the gravestones. It was obvious that the early Baptists had been coming there from all corners of Anglesey. To them it must have been their 'gate of heaven'.

In the *Baptist Handbook* for 1954 there is a description of the interior: 'The pulpit is high and the deacons' seat has no cushion. There are no cushions in the pews either.' I remember my mother, when I was a boy, ranting one Sunday evening on our way home from chapel because a neighbour of ours had taken a cushion with her to chapel and worse still, that she had left it there. Chapels were not supposed to be comfortable places. The *Handbook* continues: 'The chair on which Christmas Evans used to sit is still there and also the Communion Vessels.' I wonder what has happened to them?

Although stalwarts of the faith, like Christmas Evans and the Revd. Prof. John Rice Rowlands, have preached there many times, I wonder whether they ever sat in the 'sinners' seat'. Capel Mwd had this special seat, the only one I know of in Anglesey. I sat in it, and when John Roberts left the Chapel to tidy around the family graves, I stood up, in the manner of the early Nonconformist, and confessed my sins aloud. An easy task since there was no one there to hear me except the Almighty!

LLONGDDRYLLIAD

Yn 1980 dathlodd Capel Bethesda, Cemaes, capel y Parchedig Emlyn Richards, ei ben blwydd yn ddau gan mlwydd oed. Tua 1730 y daeth yr ysbryd Ymneilltuol i Fôn gyntaf. Mae'n sicr i William Pritchard, Clwchdernog, yr Annibynnwr mawr, ddylanwadu ar ardal Cemaes. Cafodd William Pritchard ei erlid o fferm i fferm ym Môn hyd nes iddo gael lloches gan y sgweier a'r dyddiadurwr enwog, William Bulkeley o'r Brynddu, Llanfechell. Yr oedd William Bulkeley yn eglwyswr i'r carn ond yn feirniadol iawn o bersoniaid. Felly, i dynnu nyth cacwn ar eu pennau, gwahoddodd William Pritchard i'r ardal.

Yn y cyfnod hwn byddai rhai o Gemaes yn mynd i addoli ac i seiadu i Amlwch, hyd nes i Richard Broadhead roi darn o dir iddynt i adeiladu capel arno. Yn ôl yr hanes, digon tebyg i'r Eglwys yn Laodicea, y cyfeirir ati gan Ioan yn Llyfr y Datguddiad, oedd un Methodistiaid Cemaes ar y cychwyn, 'nad ydwyt nac oer na brwd'. Ond dros dro y bu hyn gan i newid ddod pan ymunodd merch Richard Broadhead, Elisabeth, â'r Methodistiaid. Yr oedd hi'n cadw siop yn Llanfechell a phan ddaeth rhyw bregethwr ifanc ar ei daith o Sir Gaernarfon, disgynnodd dros ei phen a'i chlustiau mewn cariad ag ef. Gofynnodd yntau iddi ei briodi. Y pregethwr ifanc hwnnw oedd neb llai na'r anfarwol John Elias. Buan iawn y newidiodd capel bach distadl Cemaes i fod yn un o gapeli eirias Môn.

Daeth y ffydd Gristnogol yn gynnar i ardal Cemaes. Mae'r hen enw, Llanbadrig, yn ategu hyn. Mae hanes nawddsant Iwerddon, sydd hefyd yn nawddsant Cemaes, yn dra diddorol. Pan oedd Padrig yn fachgen ifanc ac yn chwarae ar lan afon Hafren yn Lloegr, daeth llong heb yn wybod iddo i fyny'r aber ac fe'i herwgipiwyd gan fôr-ladron a'i gludo dros y môr i Iwerddon a'i werthu'n gaethwas. Fel Joseff gynt yn yr Aifft, ni fu'n hir cyn cyrraedd y llys a dod yn ffefryn y brenin. Yno soniodd am ffydd newydd a oedd wedi cyrraedd Prydain ar drothwy ymadawiad y Rhufeiniaid. Gan fod brenin Iwerddon mor awyddus i wybod mwy am yr un Duw, anfonodd

Padrig yn ôl i'w hen gartref i dderbyn mwy o wybodaeth, gyda'r addewid y dychwelai i'r llys yn Iwerddon. Cadwodd Padrig ei air, er iddo dderbyn ei ryddid, a bu'n hwylio'n ôl ac ymlaen gan bregethu Crist yn y ddwy wlad.

Un dydd ac yntau ar ei ffordd o Iwerddon i Brydain, cododd storm a chwythu ei long hwyliau oddi ar ei chwrs a'i dryllio ar ynys tu allan i Gemaes – ynys a elwir o'r herwydd yn Ynys Badrig. Llwyddodd Padrig i nofio i'r tir mawr er gwaethaf y storm. Credai mai llaw Duw oedd y tu ôl i hyn ac adeiladodd gell ar y clogwyn uwchben y fan lle daeth i'r lan. Dyma ei Lan Badrig.

Yr Eglwys ac Ynys Badrig yn y cefndir
The Church and St. Patrick's Island in the background

Tyfodd Cemaes. Aeth y ffordd i Lanbadrig yn rhy gul a phell i'r pentrefwyr fynd yno i addoli a phenderfynwyd adeiladu eglwys newydd ar gwr y pentref. Yn ddiddorol iawn, adeiladodd Eglwys Rufain eglwys hefyd yn y pentref a'i chyflwyno i Ddewi Sant. O hyd, mae'r Gwyddelod yng Nghemaes yn gweddïo am nodded Dewi a'r Cymry'n gweddïo am nodded Padrig.

Yn y chwedegau, pan oedd y diweddar Mr Dennis Jones yn brifathro Ysgol Gynradd Cemaes, aeth â'i ddosbarth un prynhawn braf o haf i lawr i'r traeth i astudio byd natur. Cyn cychwyn cafodd rhai o'r plant y syniad o ysgrifennu llythyr a'i roi mewn potel a'i daflu i'r môr. Eu gobaith oedd y byddai'r botel yn nofio o don i don i ryw bellennig wlad ac y caent atebiad gan bwy bynnag a gâi hyd iddi. Mawr fu eu syndod pan wireddwyd eu gobaith. Daeth llythyr i'r ysgol, nid o bellafion byd, ond o County Down, Iwerddon.

Roedd dwy chwaer yn cerdded ger Strangford Lough drannoeth i storm enbyd. Gwelodd un fod potel wedi ei golchi ar y traeth a llythyr ynddi. Wedi darllen y llythyr prysurodd y ddwy adre i'w ateb. Mae poteli yn cael eu chwythu i eithafion byd ond yr hyn sy'n ddioddorol am botel plant Cemaes yw'r ffaith mai o Strangford Lough y byddai Padrig yn hwylio am Brydain.

Yn 1947 hwyliodd y 'Kon Tiki' o Callo, Periw, De America. Wedi tri mis o chwythu a thaflu'r rafft i bob cyfeiriad, glaniodd wrth Tahiti. Cyn hyn, traddodiad yn unig oedd y gred mai o Dde Amerig y daeth y brodorion cynnar i Ynysoedd Môr y De. Wedi hyn trodd y gred yn ffaith. Cyn i blant Cemaes daflu'r botel i'r môr, traddodiad yn unig oedd y gred mai llongddrylliad a achosodd i Badrig adeiladu ei gell ar y clogwyn ger Cemaes. Profodd y botel fod llanw cryf yn symud yn ôl ac ymlaen rhwng y man yr hwyliodd Padrig ohono a'r fan lle y glaniodd. Hen gred ramantus yn troi'n ffaith gadarn.

SHIPWRECK

In 1980 Bethesda Chapel, Cemaes (the Revd. Emlyn Richards's chapel), celebrated its bi-centenary. It was about 1739 that the Nonconformist Movement arrived in Anglesey. I am sure that William Pritchard, who farmed at Clwchdernog, had an important influence in bringing the new form of Christianity to Cemaes. William Pritchard had been persecuted from farm to farm because of his beliefs until he found a squire who was sympathetic towards him, namely the famous diarist William Bulkeley, Squire of Brynddu, Llanfechell. He was a staunch Anglican, but a most damning critic where the parsons were concerned. He stored up a hornets' nest by offering the tenancy of one of his farms to William Pritchard.

At this time some of the parishioners from Cemaes had started attending religious 'sessions' at Amlwch and before long Richard Broadhead gave them a plot of land on which to build a chapel. For a while the congregation was similar to the Church of Laodicea that St. John the Divine describes in the Book of Revelation as 'neither warm nor cold'. Things soon changed when Elizabeth, the daughter of Richard Broadhead, joined the small congregation. She kept the village shop at Llanfechell and when an itinerant preacher called one day, she fell in love with him. It was not long before he proposed to her. He was none other than John Elias, the greatest preacher of his day, better known as the 'Methodist Bishop of Anglesey'. In no time the chapel in Cemaes was bursting at the seams and the enthusiasm of its members was proverbial.

The Christian faith arrived early in Cemaes. This is implied in its original name, Llanbadrig, 'the enclosure of Patrick'. The life story of Patrick is most interesting. Who would have thought that the patron saint of Ireland is also the patron saint of Cemaes?

One day when the young Patrick was playing on the banks of the river Severn, a group of pirates grabbed him, took him on board their ship and carried him across the sea to Ireland. The rest of his story in this strange land is very much like the story of Joseph in Egypt. He was sold as a slave and before long found himself at the king's court. He became the king's favourite servant and was almost as a son to him. Patrick would tell his master about the new religion that had reached Britain soon after the Romans left. The king was most intrigued with this new God and sent Patrick back home to his parents, with a proviso that he would return to the court with more knowledge. Patrick kept his promise and for the rest of his life would sail back and forth between the two countries preaching the Christian gospel.

On one of his trips from Ireland, he was caught in a storm. His sailing boat was blown off course and wrecked on an island just outside where Cemaes is today. The island is still called 'St. Patrick's Island'. He managed to swim ashore in spite of the storm. He believed that God had saved him and that it was God's will that he should build a church high up on the headland. It is still there, burnt down a few years ago, but rebuilt.

During the last century the village grew and the villagers felt that the old church was too far for them to walk there on Sundays. With the coming of the motor car, the lane leading to it was also far too narrow so it was decided to build a new church in the village. With the coming of the Wylfa Power Station, a Roman Catholic Church was also built in the village and dedicated to St. David. So the Welsh congregation in their church prays for the protection of the Irish patron saint and the Irish congregation in their church prays for the protection of the Welsh patron saint. Happily both churches prosper.

When the late Mr Dennis Jones, when he was headmaster of Cemaes Primary School, took some of his pupils down to the beach for a nature walk, two of them decided to write a letter, push it in a bottle and throw it into the sea. They hoped the bottle would be carried away to a far off land and that someone would find it, read the letter and send them a reply. They were amazed when the postman, a few days later, brought a letter to school bearing the postmark of County Down, Northern Ireland.

Two sisters had gone for a walk along the shore of Strangford Lough and saw a bottle coming ashore with the tide. They realised that there was something in the bottle, pulled the cork, and found the letter. They hurried home and sent a reply to the schoolchildren. It was from Strangford Lough that Patrick used to sail for Britain.

Before the children threw the bottle into the sea, there was a tradition that Patrick's boat had been blown off course towards Cemaes during a storm. Now the bottle landing at Strangford Lough gave it greater credence. After all, the currents do not change but continue to go back and forth in the same directions. We must never underestimate a tradition since there often lies behind it a great truth.

HEN LYFR COWNT

Yn 1725 prynodd William Owen, Yswain Penrhos, Caergybi, lyfr yn cynnwys 86 o dudalennau memrwn fel y gallai Wardeiniaid Caergybi gadw cownt o'u gweithgareddau. Erbyn hyn mae'r hen lyfr cownt yn ddiogel yn y Llyfrgell Genedlaethol, Aberystwyth, ac yn aros gobeithio hyd nes y bydd yna le addas iddo gael ei warchod ym Môn.

Dau gan mlynedd yn ôl yr oedd Wardeiniaid plwyf Caergybi yn swyddogion y goron hefyd ac o'r herwydd yn cael eu talu, er enghraifft, am fynd i Lannerch-y-medd i dyngu eu llwon. Mae'n amlwg mai Llannerch-y-medd oedd y dref bwysig yn yr oes honno ac nid Llangefni.

Yn y llyfr cownt gwelwn eu bod wedi prynu dau ddeg chwech o boteli gwin. Nid i'w hyfed eu hunain, ond i wasanaethau'r Cymun Bendigaid. Wrth gyfri, gwelais na fu gweinyddiad o'r Cymun Bendigaid yn Eglwys Cybi ond seithwaith mewn blwyddyn, ac eto yr oedd angen yr holl boteli gwin. Ond sylweddolais mai dyma'r unig fan addoliad yn y dref yr amser hwnnw. Yn ddiddorol byddai gwerthwr y gwin yn prynu'r poteli gwag yn ôl ddiwedd y flwyddyn.

Yn 1740 yr oedd angen gefail gŵn newydd, a chafwyd un. Yr oedd gwir ei hangen, am fod cŵn y dref mor ddieflig, ac yn nes ymlaen bu'n rhaid ei thrwsio fwy nag unwaith. Yr oedd yr elor, rhaff y gloch a'r canhwyll-brennau yn gofyn am sylw hefyd yn eu tro. Câi'r eglwys ei gwyngalchu bob gwanwyn. Un o'r enw 'Slater' a wnâi'r gwaith a châi gini am ei drafferth. Yr oeddynt yn talu dau swllt i ryw greadur am gario dŵr iddo a hanner coron i greadur arall am lanhau ar ei ôl.

Yn 1741 bu'n rhaid prynu clo i gist y tlodion am fod rhywun wedi ceisio torri i mewn iddi. Mae'n amlwg nad oedd pobl yn berffaith o bell ffordd ddau can mlynedd a hanner yn ôl mwy na heddiw. Yn 1745 bu'n rhaid cael drws newydd. Y Wardeiniaid oedd yn prynu'r deunyddiau a'r saer yn gwneud y gwaith. Mae'r cyfan ynglŷn â'r drws wedi ei gofnodi'n fanwl. 'Wood' chweugain, 'several sorts of nails' saith a chwech, 'several ingredients of paint' hanner coron, 'hinges' chwe swllt a dwy geiniog, a 'glue' tair ceiniog. Cymerodd bum niwrnod a hanner i'r saer wneud y drws a chafodd chwe swllt a phum ceiniog am ei lafur. Felly, cyflog wythnos i grefftwr a allai wneud drws eglwys oedd chwe swllt a phum ceiniog. Anodd credu pa fath glandro a fu i gael y bum ceiniog. Mae'n rhaid fod y saer wedi plesio ei gyflogwr oherwydd cyflogwyd ef yn nes ymlaen i atgyweirio'r cyffion, y 'stocks'. Roedd angen trwsio'r rheini'n bur aml o ganlyniad i bethau'n cael eu taflu at y trueiniaid a oedd ynddynt.

Yn 1746 ymwelodd Esgob Bangor â'r dref. Roedd angen cael y lle fel pin mewn papur gogyfer â'r achlysur. Am yr eildro yn yr un flwyddyn bu 'whitewashing', ond dim yn ormodol y tro hwn oherwydd fod yr eglwys wedi cael ei gwneud yn y gwanwyn: 'a little about the church'. Fodd bynnag , os ydych yn gwyngalchu, waeth pa mor 'little', yr ydych yn sicr o wneud stomp. Felly y bu; roedd Jane Lyon yn lwcus a chafodd chwe cheiniog am olchi'r pulpud. I orffen y paratoi penderfynwyd lefelu'r llawr, a chafodd William Thomas swllt a thair ceiniog am wneud. Gwyddom mai llawr gro oedd i'r eglwys oherwydd yn 1751 prynwyd 'gravel for the church floor'.

Un peth trist ynglŷn â'r llyfr yw'r cyfeiriadau at y tlodion. Mae taliadau i'r Wardeiniaid am fynd i Lannerch-y-medd i dderbyn trwydded i yrru'r tlodion o'r dref, a hynny yn amlwg yn groes i'w hewyllys. Dywedai'r gyfraith mai dyletswydd y plwyf genedigol oedd gofalu am y tlawd. Mae yna gofnod yn Llyfr Claddedigaeth Bodedern am rai wedi marw ar y ffordd. Roedd y rhain wedi cael eu gyrru o blwyf Amlwch ac yn cerdded yn ôl i blwyf Llanfaelog. Nid oedd prinder tlodion yn y dref. Ceir cofnod i'r Wardeiniaid brynu brws i Wyddel tlawd i ysgubo strydoedd y dref, ond yr wythnos ddilynol maent yn gorfod prynu arch iddo a thalu am ei gladdu 'in a pauper's grave'.

Mae'n rhaid fod Ynys Cybi'n gyforiog o lwynogod. Ceir 'paid for killing a fox' yn britho'r tudalennau. Roeddynt yn benderfynol o gael madael ohonynt a bu Ynys Môn am gyfnod heb lwynogod. Y tâl oedd swllt y gynffon; cystal, os nad gwell, na chyflog diwrnod.

Porth Eglwys Cybi
The entrance to St.Cybi's Church

AN OLD ACCOUNT BOOK

In 1725 William Owen, the squire of Penrhos, Holyhead, bought 86 pages of vellum so that the Church Wardens could keep minutes of the meetings of the Parochial Church Council. Today they are bound and kept safely in the National Library of Wales, at Aberystwyth. Hopefully, this is only temporary until a suitable place can be built in Anglesey to display our antiquities. What is the point of keeping our heritage in vaults where schoolchildren never have the opportunity to look at them or to read them?

We can learn a lot about the island from these pages. Two hundred years ago the Church Wardens were Crown Officers as well as Ecclesiastical Officers and as such were paid, for example, to travel to

Llannerch-y-medd to be sworn in. From this we can deduce that Llannerch-y-medd was the principal town of the county in those days and not Llangefni.

One year we read that the Wardens bought twenty-six bottles of wine, not for their own consumption but for Holy Communion! I counted the number of times Holy Communion was celebrated that year, and it was only seven times. Then I realised that the Parish Church of St. Cybi was the only place of worship in the town in those days, which accounts for the number of bottles. Interestingly the wine merchant bought back the empty bottles from the Wardens.

In 1740 there was need for a new pair of dog tongs and a pair was bought. But they did not last long. Holyhead dogs must have been very ferocious. In a short time they had to be repaired and this 'over and over again'. The bell rope, the bier and the candlesticks needed attention from time to time and this was duly done and paid for. Every spring, the interior of the church was whitewashed. A certain 'Slater' performed this annual task and for his labour was paid two guineas. Someone else was paid two shillings for carrying water, probably a person too inferior to be named, and someone else, no name again, paid half a crown for 'clearing up after Slater'.

Not all the parishioners were saints, even in those far off days. In 1741 a new lock had to be purchased for the poor chest because someone had tried to force it open. In 1754 the church was in need of a new door. The Wardens never asked for an estimate but bought the materials themselves and hired a carpenter to do the job. Everything has been meticulously recorded. 'Wood' ten shillings (50p), 'several sorts of nails' seven and six (37p), 'several ingredients of paint' half a crown (12p), 'hinges' six shillings and twopence (31p). The job took the carpenter five and a half days and he received six shillings and sixpence (33p). From this we know that a week's wages of a craftsman of such calibre as was able to make a church door was six shillings and sixpence. It is hard to know how they calculated the sixpence! It is obvious that the Wardens were pleased with his work for the carpenter was asked later on to repair the stocks. The stocks were repaired quite often, due probably to the effect of the missiles thrown at the poor culprits inside them.

In 1746 the Bishop of Bangor visited the town. The church had to look like a new pin for the occasion. For the second time that year it was white-washed, but so as not to incur too much expense, 'only a little about the church' was suggested. However, if you only do a 'little' whitewashing, there is bound to be a mess. Jane Lyon was lucky. She received sixpence for washing the pulpit although she had received the same amount the previous spring. The floor was also levelled and William Thomas was paid a shilling and three pence. We know that it was gravel that they had on the floor because in 1751, 'gravel for the church floor' was bought, but later on slabs were used. It is a book full of sadness especially where the poor are concerned. Often the Wardens were paid to go to Llannerch-y-medd to receive a permit to force poor people to leave the town. The amount they were paid would have fed quite a few of the poor. The Poor Law stated that it was the obligation of the parish where a person was born to look after that person if he or she became destitute. There is a note in the Burial Register of Bodedern Parish referring to the burial of certain poor persons who were buried in the churchyard, for they had starved on the road while on their way to Llanfaelog, after being driven from Amlwch, because they were not born there. There were plenty of poor people in Holyhead and there is a reference to the Wardens buying a brush for an Irish immigrant to sweep the street. Sadly, within a week, they are paying for his coffin and for burying him in a 'pauper's grave'.

Holy Island must have been a haven for foxes because the pages are full of 'paid for killing a fox'. The Wardens were determined to exterminate them and they succeeded. Anglesey for many years was fox free, and no wonder: they paid a shilling for each tail, which was more than a day's wages.

SAMARITAN

Bu'r hen Gymry'n deyrngar iawn i'r Goron, a dyna'r rheswm efallai pam y byddwn i'n gorfod eistedd am dri o'r gloch bob prynhawn Nadolig, heb symud llaw na throed, i wrando ar y Brenin. Mae'n rhaid fod yr arferiad wedi mynd yn rhan o'm cyfansoddiad neu paham rwy'n dal bob Nadolig, nid yn unig i wrando erbyn hyn, ond i edrych ar y Frenhines, er nad oes gennyf bellach lawer i'w ddweud wrth y teulu brenhinol. Eleni cyfeiriodd at y rhai sy'n gweini ar eraill a hynny, yng ngeiriau Sant Francis, 'heb ddisgwyl dim yn ôl'. Daeth hyn ag un o'm harwyr o fro'r *Rhwyd* i'm cof, sef y Parchedig George Lewis.

Bob tro y gadawaf y mini yn y maes parcio yng nghanol tref Caergybi a cherdded drwy fynwent yr eglwys, edrychaf ar y garreg fedd fechan sydd ar yr ochr chwith imi. Un wen yn wreiddiol ond erbyn hyn yn wyrdd gan fwsogl.

Carreg fedd George Lewis, ac isod, y geiriau ar ei gofeb yn yr eglwys
George Lewis's gravestone, and below, the wording of the memorial in the church

SACRED TO THE MEMORY OF THE REV.GEORGE LEWIS, B.A.,
JES.COLL. OXON., ONLY SON OF HENRY LEWIS ESQ. OF HENDRE,
CARMARTHENSHIRE, & DURING THE LAST YEAR OF HIS LIFE
A PIOUS & LABORIOUS CURATE IN THIS PARISH.
HE DIED APRIL XXIX, MDCCCL, IN THE TWENTY FIFTH YEAR OF HIS AGE
IN CONSEQUENCE OF A TYPHUS FEVER WHICH HE CAUGHT, WHILE
DISCHARGING HIS MINISTERIAL DUTIES.
& HIS REMAINS ARE DEPOSITED IN THE ADJOINING CHURCHYARD.
THE MEMORY OF THE JUST IS BLESSED.

Pan oeddwn i'n gurad Caergybi roedd y garreg ar yr ochr dde i'r llwybr, ond cyn imi adael roedd wedi cael ei symud i'r ochr chwith. Yn niwedd y pum degau daeth ton o frwdfrydedd dros Gyngor y Dref. Cafodd y cynghorwyr y syniad o dwtio'r hen dref. Yn wir lledaenodd y chwilen dwtio drwy Brydain a bu cannoedd o naturiaethwyr selog gyda chrymanau a pheiriannau yn torri a llosgi sawl drysni a fu'n lloches i greaduriaid gwyllt ers canrifoedd. Mae'r syniad o dwtio natur yn parhau a mynwentydd eglwysi cefn gwlad yn cael eu heillio rhag i unrhyw flodyn gwyllt na chreadur feiddio mynd iddynt. Yng Nghaergybi yn ystod y blynyddoedd hynny, chwalwyd y gwesty y byddai y Deon Swift ac enwogion eraill yn aros ynddo cyn croesi i Ddulyn, ynghyd â'r grisiau cerrig y byddai John Wesley yn ei ddefnyddio fel pulpud ar ei deithiau yn ôl ac ymlaen i Iwerddon. Aeth y palmantau cobl yn yfflon o flaen y J.C.B. Pethau sy'n cael eu cyfrif yn amhrisiadwy yn nhrefi Lloegr yn diflannu dros nos. Un o'r pethau cyntaf a ddaeth dan y lach oedd cerrig beddau Eglwys Gybi. Yr awgrymiad gwreiddiol oedd cludo'r cyfan o'r fynwent a'u taflu i domen ysbwriel. Pan glywodd y trefwyr am hyn atgoffwyd y cynghorwyr fod yna arysgrif hynod iawn ar ambell garreg; lliniarwyd y cynllun a phenderfynu gwastatau'r cyfan ychydig yn is na'r pridd, gan obeithio y tyfai'r glaswellt yn fuan iawn drostynt a gorchuddio'r cyfan ymhen amser.

Gwelais Glerc y Cyngor Tref, ac erfyniais arno i arbed carreg George Lewis ac felly, symudwyd hi at y mur Rhufeinig.

Yn ystod y bedwaredd ganrif ar bymtheg bu cannoedd farw o'r 'typhus' yng Nghaergybi. Pan ddeuai'r pla, yr arferiad oedd i'r bobl fawr ffoi i'r wlad am gyfnod a dychwelyd unwaith y byddai drosodd. Nid oedd gan y tlodion ddewis ond aros a gobeithio'r gorau. Gwrthod ffoi a wnaeth y curad ifanc a oedd newydd gyrraedd y dref. Arhosodd i wasanaethu ymysg y plwyfolion. Pan fyddai'r salwch ar ei anterth, gwrthodai'r seiri coed fynd ag eirch i'r tai. Yno y byddent wrth y drysau a'r tro hwn y curad ifanc a âi o stryd i stryd i roi'r meirw ynddynt. Yn drist bu yntau farw o'r pla. Nid oedd ond pump ar hugain oed.

Gallwn yn hawdd restru'r Parchedig George Lewis ymysg y rhai a roddodd i'r eithaf 'heb ddisgwyl dim yn ôl'.

SAMARITAN

The Welsh have always been loyal to the Crown and that explains why I had to sit perfectly still at three o'clock every Christmas Day and listen to the King's speech. This practice obviously has become part of my constitution otherwise why do I make sure that nothing prevents me from watching the Queen on television every Christmas afternoon. Sadly, the mystical aura that surrounded the royal family when I was a boy has almost vanished, but I will never forget that Owain Tudor was an Anglesey man. One year the Queen referred to those who served others, even on Christmas Day, and quoted the words of St. Francis, 'to give and seek for no reward'.

Immediately the name 'George Lewis' sprang to my mind.

Every time I park the mini in Holyhead and walk along the churchyard path to town, I notice the small white gravestone on the left-hand side near the Roman wall. Sadly, it is no longer white but covered in green moss and bramble.

When I was curate of Holyhead this gravestone was on the right hand side of the footpath near the north wall, where it should be, on the actual grave of the Revd. George Lewis. Due to an enthusiastic sudden desire to 'Keep Holyhead Tidy', the Town Council in the middle fifties removed it and placed it in its present position. In fact, this urge to tidy everywhere swept not only through Holyhead but the whole of Britain. Boy Scouts and Girl Guides, members of the W.I. and Young Farmers armed with sickles and scythes set out on devastating crusades to clear thickets that had been homes for wild creatures for centuries. The aim was to have everything neat and tidy and woe betide anything that sprawled about naturally. In Holyhead, the gravestones came under the sledge hammer. The original idea was to cart them out of the churchyard and dump them into the sea. However, when the town's folk heard of this intended vandalism, they were furious and the councillors were reminded that some of the inscriptions on the tombstones were priceless. So it was decided to lay them flat on the earth, and if possible a little below the soil level, so that in time the grass would cover them. By today they have achieved their original wicked intention and part of the town's heritage has been literally buried underground. When I saw what was happening, I pleaded with the then Town Clerk to save just one stone. Grudgingly, he did and moved it 'out of the way' to where it is now situated.

In the eighteenth and nineteenth centuries, hundreds died from typhus in Holyhead. When the plague struck it was the custom for the 'well to do' to pack their bags and seek lodgings in the 'country'. The poor had no choice but to stay there and hope for the best. In the middle of the nineteenth century, a young man who had just been appointed curate of the town refused to abandon his duties, although his colleagues had left. He stayed among the dying. It was the custom during the time of the plague for the undertakers to leave the coffins outside the houses and let the family put the dead into them. Often the living were too ill or too weak to perform this last rite for their loved ones, so George Lewis did it for them, before conducting the burial service. Every day he went from street to street and in the end caught typhus himself and died on April 29, 1885, aged 25 years. So we can proudly count the Revd. George Lewis among those unknown saints who thought it right 'to give and seek for no reward'.

Y FORWYN FAIR YM MÔN

Pan gefais alwad ffôn yn gofyn imi a oeddwn yn gwybod fod y Forwyn Fair wedi ei chladdu yn Llannerch-y-medd, credwn fod rhywun yn tynnu fy nghoes. Wrth gwrs mae yna lawer lle y gallai'r Forwyn Fair fod wedi cael ei chladdu, ond rhywsut nid yn Llannerch-y-medd!

Pan gefais fwy o fanylion drannoeth, a darllen yn y papur newydd mai fy ymateb oedd datgan: 'this is a ridiculous claim', cofiais fel y bu yna chwerthin am ben y syniad mai rhai o Dde America oedd brodorion Tahiti, ac iddynt hwylio yno ganrifoedd ynghynt. Wedi i'r 'Kon Tiki' yn 1947 lwyddo i hwylio o Callo, Periw, a glanio yn Nhahiti, distawodd y chwerthin. Yr un peth a ddigwyddodd i'r hen gred fod llong Padrig Sant wedi cael ei chwythu o Ogledd Iwerddon a glanio ger Cemaes. Taflodd rhai o blant Ysgol Gynradd Cemaes botel hefo llythyr ynddi i'r môr a honno'n glanio yn Stangford Lough, y man yr hwyliai Padrig oddi yno am Gymru. Nid yw trai a llanw'r môr yn newid o oes i oes ac nid ydynt yn gwahaniaethu rhwng potel a llong.

Yn dilyn gwaith ymchwil, ysgrifennodd Graham Phillips lyfr sy'n dwyn y teitl *The Marian Conspiracy*. Mae'n ffeithiol gywir ac olrheiniodd yr awdur yr hanes drwy ddogfennau yn mynd yn ôl i'r chweched ganrif. Darganfyddodd fod Awstin Sant wedi ysgrifennu llythyr at y Pab, sydd ar gael, a'r dyddiad arno yw AD 597; mae'n honni fod bedd y Forwyn Fair ar ynys yng ngorllewin Prydain.

Wedi derbyn llythyr Awstin, mae'n deg gofyn paham na chafwyd mwy o ymateb gan y Pab i'r honiad. Rhaid cofio nad oedd yr Eglwys Geltaidd yn cydnabod awdurdod y Pab ac felly nid oedd lleoliad y bedd yn apelio ato. Pan newidiodd pethau yn 768 drwy i Elbod, Esgob Bangor, berswadio'r Eglwys Geltaidd yng Nghymru i uno ag Eglwys Rufain, roedd hi'n rhy hwyr i sôn am fedd y Forwyn Fair. Erbyn hynny roedd yna gred, nid yn gymaint ymysg yr offeiriaid ond ymysg y lleygwyr, fod Mair fel Iesu wedi esgyn i'r Nefoedd. Cyn hir neilltuwyd diwrnod, y pymthegfed o Awst, i goffáu hynny. Y datblygiad nesaf oedd troi'r cofio yn ŵyl, 'Gŵyl Fair yn Awst'. Ar y gwyliau eglwysig cynhelid ffeiriau a phan oedd fy nhad yn blentyn câi fynd i 'Ffair Awst' Pwllheli. Erbyn ei amser ef roedd ei dyddiad wedi newid, oherwydd y calendr newydd, i'r ail, a ddigwyddai fod yn ddydd pen blwydd fy nhad. Ffair gyflogi erbyn y cynhaeaf gwair ydoedd. Byddai Gwyddelod yn heidio i Lŷn, gan fynd ymlaen wedyn i ffermydd Eryri, am fod y cynhaeaf yn ddiweddarach yno. Rhyfel 1914-18 ddaeth â hi i ben, yr olaf o Ffeiriau Awst, wedi ei chynnal ym Mhwllheli am gannoedd o flynyddoedd.

Chlywn ni ddim sôn am fedd Mair gan Eglwys Rufain byth eto. Yn 1950 gwnaed datganiad gan y Pab fod y gred am Esgyniad Mair bellach yn ddogma. Hynny yw, os ydym am fod yn gadwedig, rhaid derbyn fod y Forwyn Fair wedi esgyn yn gorfforol i'r nefoedd.

Pam tybed y meddyliwyd mai yn Llannerch-y-medd y claddwyd Mair? Efallai mai'r hen rigwm am Pabo sydd y tu ôl i hyn. Mae sôn ynddo am 'y Frenhines deg', ac un o deitlau Mair yw 'Brenhines y Nefoedd'. Ond eglwys Normanaidd yw un Llannerch-y-medd a chyflwynwyd hi i Fair fel yr holl rai Normanaidd eraill ym Môn – pob Llanfair, ynghyd â Biwmaris.

Fodd bynnag, mae Dr. Dafydd Wyn Wiliam yn ei gofiant i William Morris yn cyfeirio at y ffaith mai 'Llanfigael Mair' oedd William Morris yn galw Eglwys Llanfigael. Hi yw'r unig eglwys o gyfnod yr Eglwys Geltaidd sy'n cael ei chysylltu â'r Forwyn Fair. Mae Graham Phillips wedi cael yr ynys yn gywir ond yn amlwg nid yr eglwys iawn.

Eglwys Llanfigael (o ddwy ongl)
Llanfigael Church (from two viewpoints)

THE VIRGIN MARY IN ANGLESEY

When the phone rang and someone asked me if I knew that the Virgin Mary had been buried in Llannerch-y-medd, I thought that whoever was on the other end of the phone was pulling my leg. Of course the Virgin Mary was buried somewhere but somehow I did not think it was at Llannerch-y-medd.

The following day when I received more details, and read in the *Daily Post* that my response had been that 'this is a ridiculous claim', I remembered how they mocked those who claimed that the natives of Tahiti were originally from South America and had sailed there centuries ago. However, after the 'Kon Tiki' Expedition in 1947 landed safely in Tahiti after setting off from Callo, Peru, the laughing ceased. Something similar, but less spectacular, happened concerning the old belief that the boat on which St. Patrick was sailing from Northern Ireland was blown off course during a gale, and landed at Cemaes. Some of the children from Cemaes School threw a bottle into the sea with a letter in it. This belief was given some credence when the bottle came ashore in the exact spot in Strangford Lough where St. Patrick used to sail from. The tides are the same today as they were in the fifth century and they do no differentiate between a bottle and a boat.

When Graham Phillips was writing his book, The *Marian Conspiracy*, he searched documents going back to the sixth century and found a letter written to the Pope by St. Augustus, bearing the date AD 597. He wanted the Pope to know that there was a tradition in Britain which claimed that the Virgin Mary was buried 'on an island in the West'.

It is fair to ask why the Pope, after receiving the letter, did not respond to such a claim. We must remember that the Celtic Church was not under his jurisdiction, so to believe that the Virgin Mary's grave was in this location did not please him at all. When the Celtic Church in 768, due to the influence of Elbod, Bishop of Bangor, submitted to Rome and joined the rest of Christendom, it was too late even to think of the possibility of a burial place anywhere on earth for the Virgin Mary. By then there was a belief, not so much among the clergy, but among the laity that Mary had ascended to heaven like her Son. The fifteenth of August was set aside to commemorate the event and in time developed to be a Feast Day, 'The Feast of Mary in August'. On these feast days, fairs were held. My father, when he was a boy, was allowed to attend all the fairs held at Pwllheli. August Fair was not held on the fifteenth of the month but on the second. This was because they stuck to the old calendar. It was a hiring fair. Irishmen would flock to Pwllheli to be hired for the hay harvest before moving on towards Snowdonia for the later harvest. The old world came to an end with the outbreak of the First World War, and when peace returned, the fair on the Feast of Mary in August, though held continuously in Pwllheli since the Middle Ages, had gone for ever.

We shall never really know where the Virgin Mary was buried and it will never be discussed by the Roman Catholic Church. This is because the Pope, in 1950, proclaimed the belief in the Bodily Assumption of the Blessed Virgin Mary to be a dogma. One has to believe it for the salvation of one's soul.

I wonder why Llannerch-y-medd was suggested by the author? There is an old rhyme about King Pabo and the 'Fair Queen'. One of the titles given to the Virgin Mary is 'The Queen of Heaven'. Llannerch-y-medd Church is dedicated to the Virgin Mary, but so are all the other Norman Churches in Anglesey, and built about a thousand years after the death of the Virgin. However, William Morris refers to Llanfigael Church as 'Mary's Llanfigael'. This church is the only Celtic church on Anglesey linked with the Virgin Mary. So Graham Phillips may have found the right island but the wrong church.

WERMOD

Trwy'r blynyddoedd y ffermwyr yw'r rhai cyntaf i ddioddef oherwydd bwnglerwch y gwleidyddion. Y cof cyntaf sydd gen i yw am bentwr o focsys wyau yn y sgubor a neb yn gofyn beth oeddynt yn da. Roedd y farchnad arian wedi methu yn Efrog Newydd bell a thyddynwyr Llŷn yn dioddef o'r canlyniadau. Anodd credu mai Hitler, ffrind y Diafol, a'n hachubodd ni rhag llwgu. Adeiladwyd Ysgol Fomio ym Mhenyberth, a phan geisiwyd ei llosgi roedd ffermwyr Llŷn am grogi'r rhai a wnaeth; yn ei sgîl diflannodd y bocsys wyau dros nos. Pan ddaeth yr Ysgol Lynges i Benychain (Gwersyll Butlins yn ddiweddarach) a'r Gwersyll Milwrol i Gefnleisiog, dim newyn Gwlad Canaan oedd yn Llŷn ond llawnder gwlad yr Aifft.

Anodd yw credu hynny, ond mae annibendod gwledydd eraill yn dal i effeithio arnom. Pwy fuasai'n tybio y byddai anffawd yn Rwsia yn achosi adwaith yng Nghymru? Pan fu damwain yn Chernobyl, 'a'r gwynt yn chwythu lle y mynno', ŵyn mynyddoedd Cymru fu'n ysglyfaeth i'r erchyllter. Mae'r 'Oen' yn ein ffydd yn symbol o un sy'n dioddef ar gam. Dioddef ar gam a wnaeth y rhain hefyd a'i effaith yn rhywbeth na ellir ei ddileu dros nos. Mae'r hen air am bechod yn parhau 'hyd y drydedd a'r bedwaredd genhedlaeth' yn ddigon gwir.

Hyd nes y bu'r ddamwain yn Chernobyl, roeddem yn credu fod y bwyd a gynhyrchem yn ein gerddi yn berffaith ddiogel i'w fwyta. Erbyn hyn sylweddolwn nad y pridd yn unig a all effeithio ar blanhigion ond yr amgylchfyd yn ogystal.

Ychydig yn ôl roeddwn yn Llwyn Llinos, Bodedern, cartref Golygydd cyntaf *Y Rhwyd*, a'i wraig Mai yn dweud wrthyf ei bod hi'n 'bwyta'n iach'. Llysiau oedd ar ei phlât. Mae hyn yn dangos fel mae geiriau yn gallu newid eu hystyr. Ar un adeg roedd 'bwyta'n iach' yn golygu y byddai gan Mai blatiad o gig moch o'i blaen, cig moch a'i hanner yn fraster gwyn, wyau ar fara saim, a menyn ei brechdan cyn dewed â'r bara. Sylwais fod un llysieuyn iachusol ar goll ar ei phlât, sef y wermod wen. Mae gardd Llwyn Llinos mor debyg i 'ail Eden' ag sydd bosibl ei chael ym Môn. Eden cyn y cwymp yn naturiol, nid yn unig heb 'ddrain a mieri', ond heb yr un chwynnyn chwaith. Nid yw'n rhyfedd y cyffesa'r Parchedig Emlyn Richards y daw ton o iseldra drosto wrth ei chymharu â'i ardd ef. Felly, nid oes le i'r wermod wen mewn gardd o'i bath. Mae'r wermod wen yn mynnu hadu a thyfu ym mhob twll a chornel, lle myn hi, ac nid lle myn y garddwr yw ei gwireb.

Dafydd Wyn Wiliam yng ngardd Llwyn Llinos
Dafydd Wyn Wiliam in his garden

Trwy'r blynyddoedd rwyf wedi cael 'gwreiddyn bach gan hwn a'r llall' i'm gardd *naturiol* i, os dyna'r term cywir am ardd lle caiff popeth dragwyddol heol. Nid yw gerddi o'u bath yn edrych yn flêr oherwydd nid ydych yn sicr ai yn fwriadol ai peidio y gadawyd i chwyn dyfu ynddynt. Gall gerddi twt edrych yn flêr os nad edrychir ar eu hôl bron yn ddyddiol. Un o'r llysiau mwyaf doniol yn fy ngardd yw mintys-y-gath. Caf hwyl wrth weld cathod Llanfachraeth yn ymdreiglo yno a gadael yn hanner meddw. Mae gen i'r wermod wen a'r wermod lwyd ond oherwydd eu cysylltiadau â'r gorffennol, caiff fy ffrindiau fanteisio ar eu rhinweddau.

Y cof cyntaf sydd gen i am fy nain yw hen wraig fach gron yn eistedd wrth fwrdd crwn mewn congl dywyll wrth ochr tanllwyth o dân. Roedd lliain gwyn dros y bwrdd a hwnnw'n cuddio silff oddi tano. Ar y silff roedd jwg igam-ogam gwyn gyda chadach gwyn drosto a mwclis bob lliwiau hyd ei ochrau. Pe dywedwn i wrth fy nain nad oeddwn i'n teimlo'n rhy dda, ymbalfalai am y jwg ac arllwys ohono ddiod a oedd i wella popeth. Wedi ei dastio unwaith, gwell oedd gennyf ddioddef unrhyw anhwylder yn ddistaw. Daw y dincod ar fy nannedd o hyd wrth gofio amdano.

Bob haf deuai fy modryb i aros atom. Byddai'n rhaid paratoi ar ei chyfer fel petaem yn cael ymweliad gan un o'r teulu brenhinol. Wedi diwrnod o'i chwmni byddem yn dyheu am i'w hwythnos wyliau ddirwyn i ben, fel y caem anadlu'n naturiol ar y fferm unwaith yn rhagor, a heb orfod tynnu'n hesgidiau wrth ddrws y gegin. Fy ngorchwyl i ar fore hapus y ffarwel oedd casglu llond cwd papur mawr o 'gamomile' iddi. Gwyddwn am ffynnon fechan ar ochr y mynydd a nant yn goferu ohoni, waeth pa mor sych fyddai'r hafau hynny. O boptu'r nant tyfai'r 'camomile', fel blodau llygad-y-dydd mawr. Wrth gofio'r amser braf hwnnw rwy'n dal i glywed yr arogl a godai i'm ffroenau ymysg yr hapusrwydd wrth feddwl am y rhyddhad a gawn o grafangau fy modryb.

Tybed ydi'r 'camomile' yn dal i dyfu yno, ac os ydyw, a oes rhywun yn ei gasglu ar fore braf o haf?

WORMWOOD

Through the ages, farmers have been the first to feel the effect of the bungling of politicians. The first thing I can recall is a pile of wooden eggboxes stacked high in the barn and my father literally praying daily that someone would call and buy a few of them. There was a slump in America and the peasants in the Llŷn Peninsula suffered its effect. It is hard to believe that the satanic Hitler prevented these peasant farmers from starving. Just before the outbreak of World War Two, the RAF built a camp right in the centre of Llŷn at Penyberth and when members of the then Welsh Nationalist Party tried to set it on fire, the farmers in the locality were as revengeful as a lynching mob. They cried that hanging was too good for them. Miraculously, the egg-boxes vanished overnight to feed the ravenous young pilots. When the Royal Navy built their base at Penychain (Butlins Holiday Camp after the war) and the Army their barracks at Cefnleisiog, it transformed Llŷn from being like the Biblical 'starving Canaan' to an 'Egypt overflowing with corn'.

It is difficult to imagine how the mistakes of other countries can have disastrous effects on us. Who would have thought that an incident in far off Russia would have such repercussions in Wales? After the disaster at Chernobyl, with 'the wind bloweth where it listeth', the sufferers were the lambs on the Welsh mountains. 'The Lamb' in the Christian faith is a symbol of the innocent sufferer. Welsh lambs were the sufferers and its effect can not be obliterated overnight. The Biblical claim that 'the sins of the fathers are upon the children even into the third and fourth generation' had been vindicated after Chernobyl.

Up until the disaster at Chernobyl, we believed that food produced in our gardens was perfectly safe for human consumption but now we realise that the atmosphere can contaminate our food.

Recently I was in Llwyn Llinos, Bodedern, the home of the first editor of our local paper, *Y Rhwyd*, and I happened to call at an awkward time. It was their mealtime. Mai, his wife, explained to me that she was eating 'healthy food' and I noticed that she only had a salad on her plate. Phrases change their meanings from generation to generation. My mother would call 'healthy eating' having a plateful of bacon and the fattier it was the more beneficial she thought it would be for her. Also on her plate would be a couple of fried eggs and fried bread, plus bread and butter, with the butter as thick as the bread. I noticed that feverfew was missing from Mai's plate. The garden at Llwyn Llinos is the nearest garden in Anglesey to what the poet Goronwy Owen referred to as a 'second Eden' – the garden before the 'fall of man', not only without 'thorns and thistles' as mentioned in Genesis, but also without a single weed. It is no wonder that the Revd. Emlyn Richards confesses that, when he is there, a kind of depression falls upon him when he thinks about his own garden in the Manse. Feverfew would not be welcomed in Llwyn Llinos garden. This herb seeds itself all over the place and it finds its way into every nook and cranny. It is definitely a plant to be banned from a tidy garden.

Throughout the years I have been given plants from kind gardeners and they flourish in my 'natural garden', if that is the right term for a garden where everything grows at will. Such gardens never look untidy because visitors are never sure whether or not its state is the deliberate intention of the gardener. It is only a tidy garden that looks untidy unless the gardener gives it his or her full attention.

The herb that gives me great pleasure in my garden is the 'cat mint'. I often see two or three cats twisting and turning among the stems and then staggering home quite drunk. I also have wormwood growing nearby and this herb at one time was in every cottage garden because of its medical attributes.

If I remember rightly, my grandmother was as round as a ball and sat in a dark corner of her cottage by a blazing fire, be it winter or summer. By her side was a round three-legged table covered by a cloth, hiding a shelf that supported the legs. On that shelf was a white scalloped jug covered with a piece of muslin edged with beads. One day I happened to mention to my grandmother that I was not feeling very well. She immediately groped for the jug and poured from it a cupful of grey liquid that was supposed to cure all ailments. I only tasted the miraculous medicine once and decided to suffer in silence from that day onwards. My teeth are still 'set on edge' when I think of that awful wormwood concoction that my grandmother brewed over fifty years ago.

Every summer my auntie used to visit us. This meant we had to prepare for her as if royalty was coming to inspect the farm, and especially the farmhouse. After a day in her company we longed for that week to come to an end. What a relief it was when she stepped into the bus and waved us goodbye, and we, according to my mother, waved a far too enthusiastic goodbye to her. For another year we would not have to take our boots off by the kitchen door or wash our hands before meals. My joyous task on that happy last day of her holiday was to fill a large paper bag with camomile for her to take home. I knew of a well on the side of the mountain with a small stream always flowing from it, however dry the summers might be. On each side of the stream there was a lush green carpet of camomile covered with large daisy like flowers. Even now, when I think about it, my nostrils are filled with that fresh rather pungent smell, mingled with the joy of knowing that within a few hours I would be free of my auntie.

I wonder whether the camomile still grows there secretly on the side of the mountain and whether a young lad of today gathers some of it on a fine summer's morning as I did, such a long time ago.

MORRISIAID MÔN

Sawl gwaith rwyf wedi gweld cofeb y Morrisiaid wrth deithio o Amlwch i Fangor, a sawl gwaith bu bron imi ag aros i ddringo'r bryn i'w gweld yn iawn, ond bob tro rwyf wedi gwibio heibio gan addunedu gwneud y tro nesaf. Fodd bynnag, ar Ŵyl Ddewi dyma fi'n cyflawni fy adduned. Mantais derbyn ymddeoliad cynnar yw cael gwneud y pethau y bwriadwyd eu gwneud gennyf yn y gorffennol, a hynny cyn imi fynd yn rhy hen i'w mwynhau!

Mae'r olygfa o'r gofeb i lawr at fae Dulas yn fendigedig; mae rhyw naws Gernywaidd o gwmpas y lle a wnaeth imi ddisgwyl gweld un o'r llongau-llawn-hwyliau, a geir yn nofelau Daphne du Maurier, yn gadael y bae. Welais i ddim llong hwyliau ond digon o longau-cludo-olew ar y gorwel yn mynd yn ôl ac ymlaen am Lerpwl. Nid yw Môn ond ynys gymharol fechan ond mae'r amrywiaeth yn ei thirwedd yn anhygoel. Lle buasai rhywun yn cael y fath gyferbyniad rhwng creigiau Ynys Lawd a thwyni tywod Niwbwrch, Mynydd Parys a pharciau Biwmaris, ardal y llynnoedd a phonciau Pentraeth. Hawdd yw deall paham yr hiraethodd Goronwy Owen, cyfaill y Morrisiaid, am ei Fôn dirion dir.

Ar waelod y gofeb mae clod i'r Morrisiaid, ac ar y cefn un frawddeg yn Saesneg. Mae'n egluro mai Croes Geltaidd er cof am bedwar brawd athrylithgar ydyw. 'Four? Only three here!', gallaf glywed ymwelwyr yn rhyfeddu wrth ddarllen y geiriau. Buasai rhywun yn disgwyl rhyw ddiffyg cyfri fel hyn yn Iwerddon i ddrysu dieithriaid. Ond mae'n gywir. Roedd yna bedwar brawd. John oedd y pedwerydd, er nad yw ei enw ef ar y gofeb. Ef oedd mab ieuengaf Pentre Eiriannell, Penrhosllugwy, ac roedd yn 'master's mate' ar y llong ryfel 'Torbay'. Bu farw ar ei bwrdd ac yntau ond yn dri deg pedwar mlwydd oed.

Hunanaddysgedig oedd y Morrisiaid ac ni ellir ond rhyfeddu at eu doniau cyfoethog. Yn fechgyn, gallent brydyddu a chanu sawl offeryn cerdd. Datblygodd Lewis i fod yn fardd medrus, yn athro beirdd, yn ysgolhaig, yn fesurydd tir, yn gasglwr llawysgrifau, yn ddaearegwr, yn fwyngloddiwr ac yn hydrograffydd. Anodd credu i un gael y fath fedrusrwydd mewn cymaint o feysydd. Hynodrwydd Richard yw iddo, pan oedd yn fachgen, gopïo toreth o farddoniaeth werin Môn, ond fe'i cofir yn arbennig fel sefydlydd a phrif gynhaliwr Cymdeithas y Cymmrodorion. Gwnaeth waith mawr, er ei fod yn byw yn Llundain, yn golygu nifer o lyfrau Cymraeg, gan gynnwys dau argaffiad o'r Beibl Cymraeg. Eto, i ni ym mro'r *Rhwyd*, William sydd o bennaf diddordeb. Ef a atgyweiriodd Eglwys Llanfigael ac a fu mor weithgar yn Eglwys Cybi Sant. Roedd yn gefnogwr brwd i holl ymdrechion ei frodyr, yn awdur ei hun, yn llysieuegwr ac yn naturiaethwr brwd.

Lewis Morris

Ar y gofeb, dywedir mai ym mynwent Eglwys Cybi y claddwyd William Morris. Erbyn heddiw, mae cerrig beddau'r fynwent honno wedi eu gwastatau. Wrth wneud hynny, ac er chwilio dyfal, ni ddaethpwyd o hyd i garreg fedd William Morris. Efallai na roddwyd un arno. Fodd bynnag, i wneud iawn am y diffyg hwn, mae Cymdeithas Morrisiaid Môn, a sefydlwyd yn ddiweddar gan y Parchedig Dr. Dafydd Wyn Wiliam, golygydd cyntaf *Y Rhwyd*, wedi gosod cofeb hardd ar fur Eglwys Cybi ac arni'r geiriau: 'Ym mynwent yr eglwys hon gorwedd llwch William Morris, 1705-1763'.

THE MORRIS BROTHERS

While travelling from Amlwch towards Bangor, I always notice the memorial to the Morris Brothers and many a time I have almost stopped to climb the hill on my left so that I could study it properly. Instead I would vow that the next time I was passing it would be done. I kept my promise on St. David's Day. Early retirement brings its blessings and one of them is having more time to do the things I wanted to do; another is not being too old to do things that require a little effort.

The panoramic view from the monument towards Dulas Bay is breathtaking. It reminds me of similar scenes in Cornwall. It would not have surprised me to see a sailing ship in full sail, like the ones described in the Daphne du Maurier novels, and later seen in their film adaptations, appearing suddenly round the corner of the bay. Sadly I did not see a sailing ship, only oil tankers on the horizon going to and from Liverpool. Anglesey is a comparatively small island but the variety of its topography is amazing. It is worthwhile considering the contrast between the rocky coast of South Stack and the sand dunes in Newborough, between the ruggedness of Parys Mountain and the smooth parks of Beaumaris, between the lakes around the RAF camp at Valley and the hillocks around Pentraeth. No wonder the exiled poet Goronwy Owen longed to return to his beloved Anglesey.

At the foot of the memorial, there are a few lines in Welsh giving biographical details of the brothers and on the other side, there is one sentence in English; this explains that the Celtic Cross had been erected in memory of four talented brothers. 'Four, only three!' would be the visitor's natural response. One would half expect a miscalculation like this in Ireland, to confuse strangers, but in fact, there were four Morris Brothers. John is not mentioned on the memorial. He was the youngest son of Pentre Eiriannell, Penrhosllugwy, a master's mate on the warship 'Torbay' who died on board when only thirty four years old.

These brothers were self-taught and one can only wonder in amazement at their many talents. As boys, they wrote poetry and could play many musical instruments. Lewis matured to be a skillful poet and bardic teacher, a scholar, a land surveyor, a geologist, a mineralogist, a hydrographer and a collector of rare manuscripts. It is hard to believe that one person could be a specialist in so many fields. Richard, as young man, collected and copied volumes of ancient folk poetry he discovered throughout Anglesey. He later went to live in London and was a founder member of the Cymmrodorion (a Welsh literary Society).

There, he edited numerous Welsh books as well as two new editions of the Welsh Bible. Yet for all this, William is our favourite as he lived in this corner of Anglesey. He was the one who renovated Llanfigael Church and was an active member of St. Cybi's Church, Holyhead. He encouraged and supported his brothers in all their activities, as well as being an author, a botanist and a keen naturalist.

On the monument, it states that he was buried in St. Cybi's churchyard. By today all the gravestones in that churchyard have been flattened. Whilst this was in progress, every effort was made to discover his gravestone, but to no avail. Perhaps no gravestone was ever erected over his grave. To rectify this, 'The Morrises of Anglesey Society', which was found recently by the Revd. Dr. Dafydd Wyn Wiliam, of Bodedern, have placed a memorial tablet in St. Cybi's Church which bears the inscription: 'In the adjoining churchyard lie the remains of William Morris, 1705-1763'.

NICANDER

Y tro cyntaf imi fod yn Eglwys Llanrhuddlad oedd ar achlysur dathlu ei chanmlwyddiant yn 1956. Dathlu adeiladu'r eglwys newydd yr oeddem oherwydd roedd yna eglwys yno ers mil a hanner o flynyddoedd. Eglwys fechan oedd y gyntaf ac wrth ei chwalu i adeiladu'r newydd, daethpwyd o hyd i gloch Geltaidd yn ei mur, cloch Rhuddlad Sant yn sicr. Oherwydd fod y clychau llaw hyn yn greiriau, ac i'w difa fel pethau Pabyddol ofergoelus, drylliwyd y rhan fwyaf ohonynt gyda dyfodiad y Diwygiad Protestannaidd. Os bu i rai gael eu hachub, aeth milwyr Cromwell ar eu holau â chrib mân. Ond cuddiwyd ambell grair, gyda'r canlyniad i lawer cwpan cymun a chloch fynd ar goll, gan na wyddai'r genhedlaeth nesaf ym mhle yr oeddynt. Felly yn wal yr eglwys y cuddiwyd cloch Rhuddlad Sant.

Mor wahanol yw'r eglwys hardd bresennol i'r un fechan Geltaidd. Adeiladwyd y newydd pan oedd Prydain Fawr ar ei hanterth, a'r haul byth yn machlud ar yr ymerodraeth. Mae'r cyfan o'i chwmpas yn adlewyrchu hyn; yn bendifaddau, ei phrif nodwedd yw'r meindwr urddasol a adeiladwyd nid yn unig i'n hatgoffa o'r nef ond i fod yn farc i helpu'r llongau mawr ddarganfod eu cwrs i Lerpwl. Gofalwyd hefyd fod ystafell arbennig o dan y tŵr i gludo cyrff yno wedi llongddrylliad. Eglwys â chysylltiad agos iawn â'r môr yw hi, a thoes ryfedd fod y Saeson yn galw'r bae i lawr y ffordd yn 'Church Bay'.

Ymysg y coflechau ar y mur, mae un i'r Parchedig Morris Williams neu, a rhoddi iddo ei enw barddol, Nicander. Yn 1849 yr oedd Eisteddfod Môn yn Aberffraw. Nicander a enillodd y brif wobr, ond daeth i'r amlwg fod beirdd yn cael cam yn yr oes honno hefyd! Yr oedd Talhaiarn wedi cystadlu a phan glywodd ddyfarniad y beirniaid, neidiodd ar ei draed yn wyllt wallgof. Carlamodd i'r llwyfan a chipio'i waith o ddwylo'r beirniad a chan droi at y gynulleidfa rhwygodd y tudalennau'n ddarnau mân.

Yr oedd Nicander yn un o'r offeiriaid llengar. Mae dros ddeg ar hugain o'i emynau yn *Emynau'r Eglwys*. Fel Edmwnd Prys, trodd y salmau yn benillion hawdd eu canu.

Offeiriad nodedig arall a fu'n rheithor Llanrhuddlad oedd y Canghellor Owen Lloyd-Williams, taid yr arlunydd Kyffin Williams. Ei dad oedd y Parchedig James Williams, rheithor Llanfair-yng-Nghornwy, a thrwy ei ymdrechion ef a'i wraig y cafwyd y bad achub cyntaf ym Môn. Un prynhawn cerddai'r ddau ar Fynydd y Garn a gwelsant long hwyliau fechan yn ymladd yn erbyn y tonnau. Gwaethygodd y storm a chafodd ei chwythu'n ddidrugaredd yn erbyn creigiau Ynysoedd y Moelrhoniaid. Gwyddent petai cwch ar gael yn y cyffiniau y byddai'n bosibl achub y criw a'r teithwyr. Boddi wnaeth y cyfan. Yn y fan a'r lle addunedodd James Williams a'i wraig y buasent yn casglu arian i brynu bad achub ac i adeiladu cwt iddo yng Nghemlyn.

Yr oedd y Canghellor hefyd wedi etifeddu brwdfrydedd ei dad tuag at achub y rhai mewn perygl ar y môr. Un bore Sul ac yntau'n llafarganu'r gwasanaeth, daeth un o'r plwyfolion ato ar frys gyda neges fod llong wedi mynd ar y creigiau heb fod nepell o Borth Swtan. Tynnodd ei wenwisg a rhedeg allan o'r eglwys a'r gynulleidfa'n ei ddilyn. Cyn pen dim roeddynt ar y creigiau uwchben y llong. Llwyddwyd i daflu rhaff ar ei bwrdd ac achubwyd y criw a'r teithwyr.

Y Parchedig Lambert Jones oedd y rheithor olaf i fyw yn Rheithordy Llanrhuddlad. Ymgorfforai ef bopeth da a ddylai fod mewn person-cefn-gwlad. Ef oedd twrnai pawb yn y plwyf, boed hwy'n ymneilltuwyr neu'n eglwyswyr. Ef oedd y Cynghorydd Sir, un o reolwyr yr ysgol a chadeirydd llu o bwyllgorau. Pan fu farw, unwyd y plwyf â'r un cyfagos, Llanfaethlu. Gwerthwyd y Rheithordy helaeth a'i droi'n dafarn. Sylwodd y tafarnwr fod llechen wrth y drws ffrynt a'r enw 'Nicander' arni. Pan ddeallodd mai bardd oedd Nicander galwodd y lle yn 'The Bard' a rhoi llun Shakespeare ar yr arwyddbost!

NICANDER

The first time I visited Llanrhuddlad Church was during its centenary celebrations in 1956. This was the centenary of the new church, since there was a church there in the sixth century – a small church no doubt, as Celtic Churches are in isolated communities. When the old church was demolished, they found a Celtic bell hidden in one of its walls. This no doubt was the 'saint's bell'. These hand bells were considered to be relics and were therefore destroyed at the time of the Reformation as Popish rubbish, unless the parishioners had time to hide them. If they did survive the Reformation, they were almost all destroyed by the Puritans during the Cromwellian Commonwealth. Miraculously, this little bell of St. Rhuddlad managed to escape. Sadly, many chalices and crosses were lost for ever because when things calmed down, the next generation of worshippers did not know where they had been hidden.

Ficerdy Llanrhuddlad – Gwesty Church Bay heddiw
Llanrhuddlad Rectory – Church Bay Hotel today

What a contrast between the simple Celtic church and the one they built a hundred and fifty years ago. That was at the time when Great Britain was at its zenith, when the sun never set on its Empire. Everything about this church reflects this dominance, its slender spire not only pointing the way to heaven but also the way to Liverpool. It was indeed a dual purpose spire. Ships on their way to Liverpool could take their bearings from it. The church has always had a close connection with the sea and a vault was built under the tower to receive the bodies of shipwrecked sailors. No wonder the bay below came to be known as Church Bay.

Among the memorials on the walls of the church is one in memory of the Revd. Morris Williams, or to give him his bardic title, Nicander. In 1849 when the Anglesey Eisteddfod was held at Aberffraw, Nicander was the winner of the main competition. But everyone in the audience apparently did not agree with the adjudicators. Talhaiarn had also written an ode and when he heard the chief bard delivering his adjudication he jumped on stage, snatched the papers from his hand, tore them up and threw them in all directions. Nicander wrote some of our best known hymns and is numbered among the best poets of his day.

Another notable rector of Llanrhuddlad was Chancellor Owen Lloyd-Williams, the grandfather of Kyffin Williams the artist. His father was the Revd. James Williams, rector of Llanfair-yng-Nghornwy, who was one of the founder members of the R.N.L.I. Through his efforts, helped by his wife, the first ever lifeboat came to Anglesey. One afternoon the two of them were walking on Mynydd y Garn above Llanrhuddlad when they saw a small sailing boat struggling against the wind. The storm worsened and mercilessly the small boat was blown towards the Skerries and in the end wrecked against the rocks. The two of them realised that if there were a rowing boat near by, it would be possible to save the passengers and crew. Instead they could only stand helplessly on the mountain knowing that they would all drown. There and then, James Williams and his wife vowed that they would start a fund to buy a lifeboat and build a hut for it near Cemlyn.

The Chancellor inherited his father's enthusiasm to save those in peril at sea. One Sunday morning while he was intoning Morning Prayers at Llanrhuddlad Church, a parishioner rushed to let him know that a ship was in difficulty near the rocks not far from the bay below. The rector threw off his surplice and ran out of church as fast as he could with the rest of the congregation following him. In no time, he had them organised and managed to get a rope onto the deck of the ship. The passengers and crew were pulled to safety.

The Revd. Lambert Jones was the last Rector to live in Llanrhuddlad Rectory. He incorporated all the best characteristics of a country parson. He was everyman's lawyer, whether they were church or chapel, a local and county councillor, a school governor and chairman of numerous committees. When he died, the parish was grouped with the nearby living of Llanfaethlu. The Rectory was sold and in time became a hotel. The publican saw a slate tablet by the front door and the name Nicander on it.

He was told that Nicander was a poet. He immediately knew he had found a name for his hotel. He called it 'The Bard', and on the signpost painted a picture of Shakespeare.

ATIG

Mae yna lawer trysor wedi cael ei ddarganfod mewn atig. Yn ddiweddar aeth gŵr o Gaergybi i'w atig, nid i chwilio am drysor, ond i roi planced dros y tanc dŵr gan obeithio na fyddai'n rhewi. Bu'n byw yn y tŷ am flynyddoedd ond dyma'r tro cyntaf iddo fentro trwy'r drws bach yn y nenfwd. Yng ngolau'r fflach gwelodd ddau bapur newydd ar y llawr. Wedi gofalu bod y tanc dŵr yn ddiddos, aeth â'r papurau newydd oddi yno gydag ef. Dau *Herald Gymraeg* oeddynt; Medi 1879 a Mai 1888. Felly roedd y papurau wedi bod ar lawr yr atig am dros gan mlynedd ac eto mor lân a sych â'r diwrnod y gadawyd hwy yno.

Yr adeg hynny, un tudalen enfawr oedd yr *Herald* a honno wedi ei phlygu ddwywaith i wneud wyth ochr. Nid papur lleol mohono, ac yn sicr nid papur bro, ond crynhoad o ddigwyddiadau byd eang. Wedi eu croniclo'n fanwl, ceir adroddiadau am ryfel y Zulu ac am adeiladu camlas y Panama, ynghyd â rhestr o briodasau crand Llundain a symudiadau'r teulu brenhinol.

Ychydig o newyddion lleol sydd ynddynt, ond mae'r hyn sydd ar glawr yn dra diddorol. Y frech wen yng Nghaergybi a rhybudd i bawb gadw o Stryd y Groes. Hefyd eglurhad am y frech, 'gormod o bobl yn byw yn y tai bychain'. Drwy'r papurau mae yna dinc o ddwrdio. Yr oedd gwir angen diwygio'r hen drefn gan fod y werin wedi dioddef trais a gormes am ormod o flynyddoedd.

Cafodd Margiad Williams o Borth Swtan ei galw ger bron y fainc yn Llys y Fali. Trigai ar lan y môr mewn bwthyn o'r enw Tafarn Rags. Er gwaethaf yr enw, nid oedd ganddi hawl i werthu diod feddwol yno. Nid oedd y lle wedi ei drwyddedu. Roedd plismon o'r ardal wedi gweld rhai yn mynd i mewn i'r Dafarn ac yn cerdded allan yn simsan iawn. Aeth yno ei hun un diwrnod, nid mewn lifrai plismon, ond fel paentiwr. Gwrthododd Margiad weini arno, ond pan ddychwelodd drannoeth, cafodd lasiad o wisgi am chwe cheiniog. Felly cafwyd Margiad druan yn euog o drosedd a bu'n rhaid iddi dalu 45 swllt a'r costau.

Heddiw peth cyffredin yw darllen am rai wedi cael dirwy am barcio ceir mewn llefydd gwaharddedig. Gan mlynedd yn ôl bu'n rhaid i Edward Pritchard, potiwr o Fodedern, dalu pum swllt am adael ei drol ar y ffordd fawr yn Llanynghenedl.

Porth Swtan (Church Bay)

Mewn adroddiad arall, ceir hanes dau ffermwr gerbron y llys; 'ffraeo' oedd eu trosedd. Yr oedd ffraeo'n beth cyffredin yr adeg honno ac yn haeddu dirwy. Fodd bynnag, y tro hwn ysgydwodd ffermwr Gronant a ffermwr Pant y Gwynedd ddwylo cyn mynd o flaen y fainc. Ond er hynny, cael eu henwau yn y papur a wnaeth y ddau. Oes y mân gecru oedd hi, ac yn wir os na allai cymdogion gyd-fyw yn ystod yr wythnos, siawns wael oedd ganddynt i gydaddoli ar y Sul ac adeiladwyd sawl siambr sori o gapel.

Ceir rhestr o aelodau seneddol a oedd yn bleidiol i gau'r tafarndai ar y Sul ac anogir y darllenwyr i anfon gair atynt i ddangos eu cefnogaeth. Roedd ymgyrch 'Cadw'r Sabath' yn dechrau egino. Bellach rydym wedi troi'r cloc yn ôl a thafarndai Cymru ar agor ar y Sul unwaith eto, sy'n gwneud inni sylweddoli mai byr hoedl a gafodd y 'Sul Cymreig' yn ein hanes hir.

ATTIC

Many a treasure has been found in an attic. Recently, a gentleman from Holyhead went into his attic, not looking for a treasure, but to cover the cold water tank with a blanket, hoping it would not freeze over. He had been living in that particular house for many years but had never ventured through the trap door above the landing. In the light of his torch he saw two newspapers on the floor and after lagging the water tank, brought them down to the living room. They were copies of the Welsh language *Herald*, one dated September 1879 and the other May 1888. It was obvious that these two weeklies had been on the floor of the attic for well over a hundred years and yet they were as clean and as dry as if they had been left there that morning.

At that time the *Herald* was one huge sheet, folded twice, thus creating eight pages. It could not really be called an Anglesey paper, and definitely not a local paper, because it reported the world news of the day. There are accounts of the Zulu war and the building of the Panama Canal, there is a list of society weddings in London, and the whereabouts of members of the Royal Family are recorded in minute detail. It does not in fact report much local news, but what there is extremely interesting. There was a smallpox epidemic in Holyhead and a warning for all to keep clear of Cross Street. The reporter goes on to explain the cause of this plague: 'too many people living in such small houses'. Throughout the paper, there is a tone of rebuke. There was a real need for reform. The working class had been repressed by their employers for far too long!

One Margaret Williams of Porth Swtan (Church Bay) had been summoned before the magistrates at Valley. She lived in a cottage called Tafarn Rags ('The Rugged Inn'), but in spite of its name, she did not have the right to sell intoxicating liquor. The building had not been licensed. A policeman from the area had seen some locals going in and then walking out very unsteady on their feet. He called there himself one day, not in his policeman's uniform, but dressed as a painter. Margaret refused to serve him but when he returned the following day, he had a tot of whiskey for sixpence. So the poor lady was found guilty and had to pay forty five shillings plus costs (£2.25).

Today it is a common occurrence to read about motorists being fined for parking in prohibited areas. Over a hundred years ago Edward Pritchard, a potter from Bodedern, was fined five shillings (25p) for leaving his cart on the main road by Llanynghenedl.

In another report, two farmers appear in court for 'quarrelling'. In those days, quarrelling was common and liable for a fine. However, these two gentlemen, one from Gronant and the other from Pant y Gwynedd, shook hands in court before they were called before the bench. In spite of this, their names were published in the paper. Sadly, it was the age of bickering and if neighbours could not live in peace with one another at work, how could they worship together in peace on Sundays? There were splits among the congregations, resulting in the building of far too many chapels.

There is list of MPs who were in favour of closing public houses on Sunday and a plea for the readers to write to them, pledging their support. This was the beginning of 'The Lord's Day Observance' movement. Now we have turned the clock back a hundred years with seven days licences being granted. It makes us realise for how short a period the so-called 'Welsh Sabbath' lasted in our long history.

CLOCH

Mae cysylltiad agos rhwng y Nadolig a chlychau. Rwy'n cofio'r Nadolig cyntaf wedi'r Ail Ryfel Byd a chlychau Bethlehem i'w clywed ar y radio ben bore. Wedi'r erchyllterau mawr roedd eu neges o heddwch yn werthfawr iawn i'r byd. Yn wir, yn ystod y rhyfel, un o'r pethau a gollem oedd tinc cloch yr eglwys ar fore Sul. Gwyddai'r Llywodraeth pa mor agos oedd y gelyn i lanio ym Mhrydain a rhoddwyd gorchymyn i ddistewi'r clychau a'u canu pe byddai yna ymosodiad.

Mae clychau wedi cael eu cysylltu â Christnogaeth o'r dyddiau cynnar. Roedd gan bob 'Sant' ei gloch. Pwrpas ymarferol iawn oedd i gloch yn y dyddiau hynny, oes heb glociau. Canai'r Sant ei gloch i alw'r ffyddloniaid i wasanaeth a defnyddiai hi hefyd yn ystod y gwasanaeth. Lladin oedd iaith yr eglwys a chan na allai'r gynulleidfa ddilyn y gwasanaeth, canai'r offeiriad y gloch er mwyn iddynt ddeall ei fod wedi cyrraedd uchafbwynt y gwasanaeth, sef cysegru'r bara a'r gwin.

Y tro cyntaf imi fod yn Nulyn, a hynny yn y pumdegau cynnar, rwy'n cofio'r wefr a gefais am chwech yr hwyr wrth weld pawb yn y ddinas brysur yn sefyll yn berffaith llonydd ac yn ymgroesi. Roedd hi mor dawel fel y gallwn glywed clychau'r eglwys yn canu, canu'r Angelus.

Wrth i Eglwys Rufain weld Protestaniaeth yn ennill tir, gwelwyd yn dda i annog y ffyddloniaid i gyfarch y Forwyn Fair yng ngeiriau'r Angel Gabriel, 'Henffych well Fair llawn o ras…' ac i erfyn arni i weddïo drostynt, a hynny deirgwaith y dydd, bore, nawn a hwyr. I'w hatgoffa i wneud hynny, yr oedd cloch yr eglwys i'w chanu am naw y bore, ganol dydd a chwech yr hwyr. Dyma'r 'Angelus', cloch yr angel. Os ewch i Ddulyn heddiw mae'n anodd credu'r fath newid a ddaeth dros y lle: cynnydd mawr mewn pethau materol ond llawer llai o ôl yr ysbrydol. Nid oes neb yn ymgroesi wrth basio eglwys ac ni chlywir yr Angelus hyd yn oed allan yn y wlad.

Eglwys Llanrhuddlad
Llanrhuddlad Church

Rwy'n hoff iawn o un gloch ym Môn, a honno yw cloch Eglwys Tregaian. Ychydig a feddyliais pan oeddwn i'n ysgrifennu *Mae gen i gariad*, sef hanes Tony ac Aloma, y buaswn i un diwrnod yn berson Tregaian.

Un nos Sul tra oedd Tony yn cario bwrn o wair ar ei gefn ar draws iard Ty'n Llan, dechreuodd cloch yr eglwys ganu. Daeth rhyw don o chwerthin drosto wrth i'r Diafol roi syniad yn ei ben. Beth petai y nos Sadwrn ddilynol yn dringo i'r clochdy ac yn rhoi sach am dafod y gloch. Dyna hwyl a gâi y bore Sul wrth i Edwards y clochydd dynnu'r rhaff a dim yn digwydd. Ond wrth gario'r ail fwrn ar draws yr iard a chlywed canu'n dod o'r eglwys, bu'n edifar ganddo am chwerthin gyda'r Diafol. Yn yr eglwys y dylai fod yn canu ac nid yn cynllunio drygioni. Nid oedd am fod yn was bach i'r Diafol ac unwaith yr aeth y golau o ffenestri'r eglwys, sleifiodd i mewn. Ymbalfalodd am yr organ a chydag un bys, cyfansoddodd alaw a geiriau yr un pryd:

> Ar ddechrau pob wythnos mae tinc yr hen gloch
> I'w glywed o'r pellter, ble bynnag y bo'ch,
> Mae'n mynd at eich calon, mae'n alwad mor gref,
> O cofiwch mai'r Eglwys yw allwedd y Nef.

A BELL

We associate Christmas with bells. I remember the first Christmas morning after the Second World War and what joy it was to hear the bells of Bethlehem ringing out their message of goodwill to all men. After five years of fear, the world once more was at peace. One of the things we all missed during the war was the sound of the bell calling us every Sunday to the tiny parish church. The church bells throughout Britain had been silenced and were only to be rung if there was an imminent invasion.

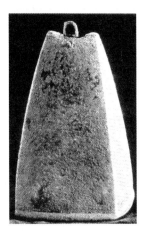

Cloch Sant
A Saint's bell

Bells seem to be synonymous with Christianity. Every 'Saint' had his personal bell. The faithful depended on his bell to know if it was time for them to attend divine service. He would also ring the bell during the service. As Latin was the language of the service, the congregation would not realise when the service was reaching its climax – the consecration of the bread and the wine – unless the bell was rung at that point.

The first time I visited Dublin was in the early fifties and what a different Dublin it was to what it is today. I remember how amazed I was at six o'clock in the evening to see the bustling city grinding to a halt. It was so quiet that I could hear a church bell ringing. As soon as things were back to normal, I enquired what it was all about and told it was the 'Angelus'.

The 'Angelus' goes back to the days when the Roman Catholic Church realised that Protestantism was gaining ground in Europe. Various measures were introduced as part of the Counter Reformation. Members were asked to recite the words of the Angel Gabriel's Salutation to Mary, 'Hail Mary full of grace…', three times a day. As a reminder, church bells would ring at nine, noon and six in the evening. This became known as the 'Angel's Salutation', giving us 'Angelus'. I was in Dublin last summer and this time was amazed again, not at their devotion, but at the transformation that had occurred during the last forty years. Material prosperity was to be seen everywhere, but no sign of the nation's spirituality. Not a single person did I see making the sign of the cross when passing a church, and if the 'Angelus' did ring, what hope did I have of hearing it?

I am very fond of one bell in Anglesey and that is the bell of Tregaian Church. Little did I realise when I was writing the story of the Welsh duo, Tony and Aloma, that one day I would be rector of Tregaian.

Tony wrote one of his most popular songs, called 'The tiny church bell', while he was working at Ty'n Llan, Tregaian. One Sunday evening as he was carrying a bale of hay on his back across the yard to feed the cattle, the church bell began to ring. A smile crept over his face and he knew the devil was about to suggest something wicked to him. If he were to climb to the belfry after dark the following Saturday night and tie a sack around the clapper, what fun he would have the following Sunday morning looking at the bell swinging for all its worth and knowing that Edwards, the bellringer, was hard at it pulling the rope, but to no effect. Later on, while carrying more bales, he heard the small congregation singing one of his favourite hymns. His mirth turned to remorse. He realised that he should be in church with the faithful few, as he used to be at one time. What a help he would be with the singing. To show the Almighty that he was a true penitent he had to do something practical. Once the congregation had left the church, he crept in and went straight to the organ and with one finger, searched for a tune that would fit the words that were crowding into his head:

At the beginning of every week you can hear it
From afar, it doesn't matter where you are,
It pricks your conscience, its call is so powerful,
'Remember the Church is the gateway to Heaven'.

CROMLECH

Pan oedd Abram yn gadael Ur y Caldeaid bedair mil o flynyddoedd yn ôl, yr oedd pobl Bodedern yn adeiladu cromlech ym mharc Presaddfed. Yn ystod y canrifoedd, golchodd y glaw y pridd a oedd drosti a defnyddiwyd y cerrig lleiaf i adeiladu ffermdai a waliau. Y cerrig mawr yn unig sydd ar ôl erbyn heddiw.

Wrth edrych ar y cerrig enfawr mae'n anodd credu fod pobl gyntefig wedi gallu eu symud, heb sôn am eu codi ar ar gilydd. Buasai hon yn dasg erchyll o gymhleth i adeiladwyr yr oes hon, er yr holl beiriannau cryf sydd ganddynt. Ar ben hyn oll, nid cerrig lleol ydynt i gyd. Mae'r cerrig dieithr, a'r rheini am ryw reswm a ddefnyddiwyd fel lintelau, wedi dod o Ogledd Lloegr. Gwyddom hyn oherwydd dyna'r unig le ym Mhrydain lle ceir cerrig cyffelyb. Mae'r hynodrwydd o ddefnyddio cerrig dieithr gan bobl gyntefig i adeiladu i'w weld mewn rhannau eraill o Brydain. Enghraifft wych yw Côr y Cewri. Mae'r cerrig glas yn bethau dieithr iawn i ardal Caersallog ond eto maent yn rhan o'r cylch enwog. Mynyddoedd y Preseli yw'r unig fan lle y ceir hwy. Felly, mae'n rhaid eu bod wedi cael eu cludo ryw fodd, ryw sut, o Dde Cymru i Dde Lloegr. Gan fod y dasg o wneud hyn yn ymddangos i ni heddiw yn amhosibl, bu rhai'n awgrymu mai'r rhew mawr a'u gwthiodd hwy o'i flaen. Wrth symud yn araf roedd y rhew yn casglu pethau ac yna pan gynhesodd y tymheredd, bu iddo ddadmar, arafu, a gollwng ei lwyth. Fodd bynnag, nid yw'r ddamcaniaeth hon yn dderbyniol erbyn hyn a'r gred gyffredin ymhlith arbenigwyr yn y maes yw mai bodau dynol a symudodd y cerrig dieithr.

Sut bobl fuasai'n cyflawni'r fath wrhydri? Rhaid gofyn hefyd paham yr oeddynt eisiau gwneud y fath beth, ac i ba bwrpas. I ddechrau, rhaid cydnabod eu bod yn bobl o ddifri ynglŷn â hyn. Yn wir, rhaid dweud eu bod yn benboethiaid neu byddai'r gorchwyl wedi eu trechu'n llwyr cyn dechrau'r dasg a gwneud iddynt dorri eu calonnau'n lân.

Wrth feddwl am y dasg enfawr yr ymgymerodd y bobl gyntefig hyn â hi, mae rhywun yn dod i'r casgliad eu bod yn bobl oedd yn byw mewn heddwch â'u cymdogion. Petaent yn rhyfela'n ddiddiwedd ni fuasai ganddynt amser i adeiladu, na hyd yn oed amser i gynllunio'r fenter. Roedd yr hyn a gafodd ei gyflawni'n waith llawn amser. Yr oeddynt hefyd yn bobl wedi ymsefydlu mewn llecynnau arbennig. Petaent yn hela, fel eu cyndadau, buasai adeiladu pebyll wedi bod yn fwy buddiol iddynt. Mae'n amlwg mai ffermwyr oeddynt ac nid helwyr ac nid pobl oedd yn byw o'r llaw i'r genau. Cafodd pyramidiau'r Aifft eu hadeiladu pan oedd yr ysguboriau'n llawn. Roedd y cnydau ar eu canfed hefyd o gwmpas Llyn Llywennan, Bodedern, pan adeiladwyd y gromlech. Trwy fyw mewn heddwch a heb orfod gofidio am fory, cafodd y ffermwyr hyn amser i feddwl, i fyfyrio ac i dyfu'n ysbrydol. Unwaith y sylweddolodd y rhain fod ganddynt gorff ac enaid, naturiol oedd iddynt ymboeni ynglŷn â beth a ddigwyddai i'r enaid ar ôl i'r corff farw.

Gwyddai dyn yn gynnar iawn mai ei ben oedd yr aelod pwysicaf o'i gorff, yno yr oedd ei lygaid, ei dafod a'i glust, heb sôn am ei feddwl. Felly credai mai yn ei ben yr oedd ei enaid. Cawn ein hatgoffa o hyn yn y Mabinogi pan mae Branwen yn cludo pen Bendigeidfran o Iwerddon i'w gladdu yn y Tŵr Gwyn. Trwy ei gweithred hi roedd ei enaid yn gadael Iwerddon. Adeiladwyd y cromlechi i gadw'r penglogau, beth bynnag am yr esgyrn eraill. Gan nad oedd drws i'r gromlech, gallai'r lleuad yn ogystal â'r haul dywynnu i mewn. Peth i'r byw oedd yr haul ond y lleuad i'r marw. Roedd y lleuad yn marw ei hun a hefyd yn atgyfodi. Gwelent batrwm eu bywyd hwy eu hunain ym mhatrwm y lleuad. Mae'n ymddangos fel ewin, mor eiddil â babi, ac yna'n tyfu, yn cryfhau a chyrraedd ei anterth, ac wedi hyn yn dechrau edwino ac yn y diwedd yn marw. Mae hyd yn oed yn diflannu o'r golwg, a pheidio â bod fel petai. Ond nid dyma ddiwedd y stori. Ar y trydydd dydd mae'n ymddangos drachefn, ac yn fyw unwaith eto.

CROMLECH

When Abraham left Ur of the Caldes four thousand years ago, people living around Llywennan Lake near Bodedern were building burial chambers, the remains of which we can still seen in the grounds of Presaddfed. Over the centuries the rain has washed away the soil that covered the chambers and the smaller stones have been carried away to build farm buildings and walls. So today only the huge boulders remain.

Cromlech Presafedd (llun o'r ochr arall gyferbyn)
The Presafedd Cromlech (view from the other side opposite)

It is difficult to comprehend how primitive people managed to move such huge stones, let alone place them one on top of another to build a burial chamber. It would be a mammoth task today with all the modern machinery at hand and yet they somehow managed by human force to complete the work four thousand years ago. To add to the difficulties, not all the stones are local. Geologists discovered that the lintel stones came from Northern England. This is the only place in Britain where they are to be found. This peculiar practice of using stones from other parts of the country can be seen in constructions built by primitive people. The best example is Stonehenge where the blue stones came from the Preseli Mountains in Pembrokeshire, South Wales. So some of the stones now by Llywennan Lake must have been moved there from a long way off. To us this seems impossible. At one time there was a theory that they arrived in Anglesey during the Ice Age. A glacier, while drifting south, slowly pushed them along and as it melted, deposited them in Anglesey. But by now this theory is refuted. They must have been manually transported.

What kind of people would be able to perform such a colossal task? What kind of people would want to participate in such an activity, and for what reason? First of all it is obvious that they were in earnest. In fact they must have been fanatics, otherwise they would have given up long before the construction was complete.

Looking at the huge stones makes us realise that they were people with plenty of time on their hands. They had time to spare from their daily duties. They also must have been at peace with their neighbours. Had they been continually fighting, this would not have been possible. It must have taken them a considerable time to plan this venture. In fact it was a full time job for them. Had they been hunters like their forefathers, they would be too busy moving about seeking new hunting grounds. They were farmers, well established in the area. They tilled the land and produced plenty of food. Contented people have time to contemplate and plan, time to think about life itself, why they were here and where they were going. In other words they had grown spiritually. They realised that they were more than flesh and bones; they had spirits. The next step, once they were dead, was to care for those spirits.

Mankind realised very early on that the head was the most important member of the body, with a mouth to eat, a tongue to speak, ears to hear and eyes to see. They were in no doubt that the spirit dwelt in the head. We are reminded of this in the Mabinogi, the early Welsh tales. There, when the giant Bendigeidfran was killed fighting in Ireland, his sister Branwen brought his head back to Britain to be buried in the White Tower in London. So a Cromlech was a special burial chamber, for skulls in particular. In order that the moon as well as the sun could be with the spirits, an opening was strategically left for this purpose. The moon was of greater importance than the sun. The sun was for the living, while the moon was for the dead. Primitive man saw a duality in the moon. It reflected man's pattern of life. The moon appeared suddenly, frail as a baby, growing gradually, becoming brighter every night until it reached its zenith. From then on it would gradually wane, wither away and die. But obviously it did not die. On the third day it appeared alive once more.

MEDDYG ESGYRN

Ar dalcen llaethdy Ty'n Llan, Bodedern, mae llechen ac ysgrif arni sy'n egluro mai yno, yn yr hen Dy'n Llan, y ganwyd yr enwog feddyg esgyrn Hugh Owen Thomas, Lerpwl. Roedd ef yn ŵyr i Richard Evans, Cilmaen-an. Erbyn hyn, mae llechen ar dalcen Cilmaenan hefyd i'n hatgoffa fod y taid yntau wedi ei fendithio â'r un ddawn i drin esgyrn.

Mae sawl llyfr ac erthygl wedi eu hysgrifennu am dad Richard Evans, Cilmaenan, sef Evan Thomas, y Maes, y meddyg esgyrn gwreiddiol. Yn ôl traddodiad, cafwyd hyd iddo ef mewn cwch ar un o draethau Llanfair-yng-

Nghornwy, ac yna Dr. Lloyd yn rhoi lloches iddo ym Mynachdy. Mae cofeb iddo yn Eglwys Llanfair-yng-Nghornwy a gyflwynwyd gan deulu'r Bwcleaid, Biwmaris, mewn diolchgarwch am iddo iachau un o'r teulu.

Aeth Richard Evans i fyw i Gilmaenan, Llanfaethlu, ar ôl priodi a bu'n dad i saith o blant. Ymfudodd dwy o'i ferched i America ac mae rhai o'u disgynyddion o hyd yng nghyffiniau Wisconsin. Daeth un ohonynt drosodd ychydig flynyddoedd yn ôl ac am ryw reswm nid oedd yn rhy sicr a oedd hi o linach syth Evan Thomas, y Maes. Aeth i weld y ddiweddar Mrs Kitty Rowlands, Caerau, Rhydwyn, oherwydd yr oedd ei thad hi'n cael ei gyfrif ymysg y meddyg esgyrn cefn gwlad gorau. Eglurodd Mrs Rowlands fod yna un ffordd iddi wybod ar unwaith os oedd hi o dylwyth Evan Thomas. Petai rhai o'i theulu hefo bys bach cam, nid oedd angen iddynt boeni. Roedd y nam corfforol hwn yn wendid teuluol. Torrodd gwên dros wyneb y wraig o Wisconsin ac estynnodd ei llaw i ddangos ei bys bach cam i Mrs Rowlands; gallai'r ddwy ymfalchïo fod ganddynt fysedd bach cam fel cryman a'u bod yn sicr yn ddisgynyddion i Evan Thomas, y Maes.

Yr enwocaf o blant Cilmaenan oedd Evan Thomas. (Diddorol yw sylwi fel y mae'r teulu'n newid eu cyfenwau yn achlysurol. Richard ap Evan fuasai Richard yn ôl yr hen ffordd Gymreig o enwi, gan droi'n Richard Evans, ac Evan ei fab ef yn mynd yn ôl i gyfenw'r taid.) Priododd Evan Thomas â merch Tŷ'n Llan, Bodedern, a ganwyd iddynt un plentyn, Hugh Owen Thomas. Gan fod ffermio yn talu'n hynod o wael yn y blynyddoedd hynny, methu â dwyn y ddau ben llinyn ynghyd a wnaeth Evan Thomas a phenderfynodd ymudo i America fel ei ddwy chwaer. Yr arferiad oedd i'r penteulu fynd ar ei ben ei hun i'r wlad newydd ac wedi ennill digon o arian, anfon am weddill y teulu i ymuno ag ef. Yn 1831 ffarweliodd Evan Thomas â'i wraig a'i blentyn bach a chychwyn am Lerpwl. Pan gyrhaeddodd, siomwyd ef yn fawr. Nid oedd ganddo ddigon o arian i brynu ei diced. Felly nid oedd ganddo ddewis ond chwilio am waith dros dro yn Lerpwl. Roedd digon o waith ar gael yno oherwydd dyma gyfnod adeiladu'r dociau. Yr oedd digon o ddamweiniau hefyd ymysg y gweithwyr a phwy'n well i'w hymgeleddu na'r meddyg esgyrn ifanc o Fôn. Buan y cafodd waith fel meddyg answyddogol y dociau ac ni fu'n rhaid i'w wraig a'r bachgen bach groesi Môr Iwerydd ond ymgartefu yn Lerpwl. Dyna fendith fu hyn a Hugh Owen Thomas, y cyntaf o'r meddygon esgyrn a fu mewn coleg, wedi aros yn yr hen wlad.

Roedd Richard Evans, Cilmaenan, yn bendant mai rhodd Duw oedd y ddawn a gafodd i drin esgyrn. Gwae neb a feiddiai ei wawdio, yn enwedig ei wawdio oherwydd mai gwerinwr tlawd ydoedd. Un tro, niweidiwyd bonheddwr yn y Gwyndy wrth iddynt newid ceffylau'r goets fawr. Mawr oedd poen y gŵr bonheddig ac anfonwyd am Richard Evans. Pan welodd y bonheddwr ymddangosiad tlawd y 'meddyg', gwrthododd adael iddo gyffwrdd ynddo. Trodd Richard Evans ar ei sawdl ac aeth tuag adre'n syth. Gwaethygodd poen y bonheddwr ac edifarhaodd am fod mor fyrbwyll yn gynharach ac anfonodd am Richard Evans drachefn, ond i ddim pwrpas. Er yr holl erfyn a fu ar y ffordd rhwng y Gwyndy a Chilmaenan nid oedd dim yn tycio. Ni allai faddau i neb am ddibrisio rhodd Duw.

Dro arall yn ffair Llannerch-y-medd, lle byddai Richard Evans yn trin y cleifion ar y stryd, smaliodd gwas fferm fod ei ysgwydd wedi'i thaflu o'i lle. Gwyddai Richard Evans ar unwaith ei fod yn ceisio gwneud sbort am ei ben. Gafaelodd ym mraich y gwas fferm cyhyrog ac ymhen eiliad roedd ei ysgwydd o'i lle mewn gwirionedd ac yntau yn ei ddyblau mewn poen. Wnaeth neb feiddio gwneud hwyl am ben Richard Evans mwyach.

Y llechen ar laethdy Ty'n Llan
The slate on the wall of the dairy at Ty'n Llan

A BONE SETTER

On the side of the dairy at Ty'n Llan, Bodedern, which was the original farmhouse, there is a slate with an inscription which notes that this was the birthplace of one of the Anglesey Bone Setters, who became known later as Hugh Owen Thomas of Liverpool. He was the grandson of Richard Evans of Cilmaenan, Llanfaethlu. By now a similar slate has been placed on Cilmaenan to remind us that the grandfather had also been blessed with the same gift of bone setting.

Quite a few books have been written about Richard Evans's father, Evan Thomas, the original Anglesey Bone Setter, who lived in Y Maes, Llanfair-yng-Nghornwy. According to tradition, he was found in a boat that had been washed ashore. He was taken to Mynachdy where the local doctor lived, and there he was brought up by Doctor Lloyd. In Llanfair-yng-Nghornwy Church, near the altar, there is a marble memorial to him which was presented by the Buckeleys of Barron Hill to express their gratitude after he healed a member of their family.

Richard Evans married and moved to Cilmaenan, where his seven children were born. Two of his daughters emigrated to America and their descendants still live in the State of Wisconsin. A few years ago one of them visited the old country. She was uncertain as to whether she was a true descendant of the original Anglesey Bone Setter. She arrived in Anglesey and found in Caerau, Church Bay, a woman whose father was a direct descendant of Evan Thomas. To put her mind at rest, Mrs Kitty Rowlands asked her to raise her right arm so that she could see her little finger. Mrs Rowlands also raised her right arm and low and behold, the little fingers of both were as crooked as a sickle. Some of the women in Bone Setters' family had this deformity. The woman from Wisconsin went home, not embarrassed with her crooked little finger, but proud of it. She knew that she was truly a member of the family of Anglesey Bone Setters.

The most well known of the children of Cilmaenan was Evan Thomas. (It is interesting to note how some male members of the family of Bone Setters changed their surnames. The original Evan Thomas's son was Richard Evans or Richard ap Evan – Richard the son of Evan – and then his son Evan reverted back to his grandfather's surname and became Evan Thomas.) Evan Thomas married the daughter of Ty'n Llan, Bodedern and had one son, Hugh Owen Thomas. At that time, farming was at its lowest ebb and Evan Thomas decided, like his two sisters, to emigrate to America. It was customary in those days for the head of the family to leave the old country alone and then, once settled in the new country, to send for the rest of the family. In 1831 Evan Thomas said farewell to his wife and son and set out for Liverpool. He thought he had enough money to pay his passage, but found on arrival at the port that he was a few sovereigns short. He had no option but to look for a temporary job in Liverpool and sail when he had earned enough money. He had no difficulty in finding work because this was the time when the docks were being built. Accidents among the labourers were a daily occurrence. Who better than a bone setter to work among them? The young Evan Thomas was offered a job as the unofficial doctor and in no time his wife and little boy were living with him in

Liverpool. They decided not to cross the Atlantic, and what a blessing this proved to be, since Hugh Owen Thomas was allowed to stay in the old country to become the first member of the family of Bone Setters to attend medical college.

Richard Evans of Cilmaenan was adamant that his ability to set bones was a gift from the Almighty. Woe betide anyone who mocked him, and especially anyone who mocked him because of his humble beginnings. This was set to the test when a gentleman on his way to Ireland was hurt while they were changing horses at the coaching inn, at Gwyndy, ten miles from Holyhead. The gentleman was in great pain, having been kicked by one of the horses, and the innkeeper sent for Richard Evans. When the gentleman saw the poor peasant that was to treat him, he immediately dismissed him. Richard Evans turned on his heels homewards. Soon the gentleman was in such pain that he repented and asked one of the servants to fetch Richard Evans back, but to no avail. No amount of pleading would make him change his mind. Richard Evans could never forgive anyone for belittling his gift from God.

Another time at Llannerch-y-medd hiring fair, where Richard Evans always treated his patients on the street, a lusty farm labourer passed by and pretended he had dislocated his shoulder. Richard Evans knew immediately that this was a prank so he grabbed him by the shoulder, twisted it, and in a second the hefty fellow was writhing in the gutter. After that no one ever dared to mock him.

DRWS Y DIAFOL

Ers talwm roeddwn yn adnabod rhai y byddai'r lleuad yn effeithio arnynt. Pobl ddigon rhesymol oeddynt heblaw adeg lleuad llawn. Nid wyf yn gwybod am neb felly heddiw. Mae'n ddigon posibl bod yna rai o hyd ond gan nad yw'r lleuad yn chwarae rhan bwysig yn ein bywydau bellach a fawr neb yn sylwi pryd mae'n llawn nac yn newydd, nid ydym fawr callach. Gwahanol iawn oedd pethau yn y ganrif ddiwethaf. Rwy'n cofio fel y byddai naw nos olau ym Medi yn gymorth mawr i orffen cario'r ŷd i'r ydlan. Rwy'n cofio hefyd fel y byddai'r personiaid yn trefnu Gŵyl Ddiolchgarwch mewn eglwysi anghysbell pan fyddai'r lleuad yn llawn. Hefo'r holl olau yn ein strydoedd, a hyd yn oed ar ein ffyrdd, nid yw'n hawdd i blant yr oes yma weld y lleuad na'r sêr. Rwy'n cofio fel y byddai plant Ysgol Gynradd Cemaes yn ei chael hi'n anodd i astudio'r planedau am nad oeddynt yn gallu eu gweld. Bu'r bardd R.S. Thomas yn protestio'n arw pan roddwyd lamp drydan ar y ffordd ger y Ficerdy, gan ei rwystro rhag gweld y machlud dros Enlli drwy ffenestr ei lolfa.

Mae'r gred fod y lleuad yn effeithio arnom yn hen iawn. Daw y gair Saesneg 'lunatic' o'r Lladin 'lunar', sy'n rhoi 'lleuad' yn y Gymraeg, a hefyd 'Llun'; 'Dydd Llun' yn llythyrennol fel 'Moon Day' neu 'Monday' yn Saesneg. Chwarae teg, roedd yn iawn i'r lleuad gael ei ddiwrnod os oedd yr haul wedi cael 'Sunday'. Chawn ni fel Cristnogion ddim anghofio'r lleuad oherwydd mae ein prif ŵyl, y Pasg, yn cael ei rheoli gan y lleuad. Y Sul sy'n dilyn y lleuad llawn wedi'r ail ar hugain o Fawrth yw'r Pasg bob amser.

Ond beth am yr haul yn ein Ffydd? Pwysicach fyth. Mae'r haul yn ffynhonnell bywyd. Mae pob eglwys yn wynebu'r dwyrain, codiad haul, a'r marw yntau yn cael ei gladdu i wynebu'r dwyrain hefyd. Toes ryfedd fod gwynt oer y dwyrain yn cael ei alw'n 'wynt traed y meirw'. Fel Cristnogion, rydym yn credu mai plant y goleuni ydym a hawliwn gael mynd i mewn i eglwys drwy ddrws y mur de. Dyma'r mur mae'r haul yn tywynnu arno hwyaf. Mae Eglwys Llanfigael yn enghraifft wych o hyn. Mae'r mur gogleddol yn nes at borth y fynwent ond mae'n rhaid mynd heibio'r gongl at y drws sydd yn y 'mur haul'.

Os oes yna ddaioni yn y byd, mae yna ddrygioni hefyd. Mewn rhai o'n hen eglwysi cawn ein hatgoffa o hyn mewn ffordd weladwy iawn. Yr oedd y gweladwy yn yr oesoedd canol yn bwysig iawn. Os na allech ddarllen fe allech ddysgu trwy wrthrychau gweladwy. Dyna bwrpas drws mewn mur gogleddol. Mae drws cyffelyb yn eglwys Bodedern. Nid yw'r haul byth yn tywynnu ar hwn ac felly nid yw'n syndod ei fod yn cael ei alw'n 'Ddrws y Diafol'. Petai un o'r plwyf wedi troseddu, cyn inni droi'n Brotestaniaid, byddai'r offeiriad fore Sul yn galw ei enw allan. Y sarhad mwyaf o hyd mewn gwledydd Catholig yw i'ch enw gael ei alw allan yn yr eglwys ar fore Sul. Wedi galw eich enw, câi'r gynulleidfa gyfan wybod eich camwri a byddai'n rhaid ichwi godi a cherdded allan, nid drwy ddrws y saint ond drwy ddrws y Diafol. Roedd hon yn weithred weladwy fel y gwyddai pawb eich bod wedi cael eich ysgymuno, ac heb hawl i dderbyn y cymun. Ond diolch i'r drefn, nid dyma'r diwedd. Petaech yn wir edifeiriol ac wedi gwneud eich penyd, caech eich derbyn yn ôl i'r gorlan unwaith yn rhagor, nid trwy ddrws y Diafol, ond trwy ddrws y saint. Mae cofnod am ferch ifanc o Laniestyn, Llŷn yn gorfod cerdded â mantell wen drosti o gwmpas yr Eglwys sawl tro i'r plwyfolion oll wybod ei bod yn edifarhau am ei phechod.

I ni efallai, nid yw drws y Diafol yn ddim ond ychydig o hwyl, ond nid felly unwaith. Byddai cael eich ysgymuno yn golygu y caech eich taflu yn bendramwnwgl i dân uffern, fel y dangosai'r darluniau ar furiau'r eglwysi, i gael eich poenydio i dragwyddoldeb.

THE DEVIL'S DOOR

A long time ago I was told how the moon affected certain people, whom I knew quite well. They were very respected, well behaved persons, except at the time of a full moon. I must admit that these days, I never hear, or know, of anyone who is influenced by a heavenly body, except perhaps those who read their horoscopes in the newspapers. It is quite possible that there are such persons; but since the moon no longer plays any part in everyday life, hardly anyone notices whether it is new or full, so they are none the wiser. Things were rather different in the past. I remember how the farmers welcomed 'Harvest Moon' in September as a godsend, so that they could work longer hours to carry the corn to the stacks. I remember also how the parsons used to arrange harvest thanksgiving services in October, during the bright evenings of the 'Hunters' Moon', when the parishioners could find their way along treacherous paths to outlandish churches. With all the street lighting nowadays, it's hard for the children of today to see either the moon or the stars. I remember how the children of Cemaes Bay Primary School used to find it difficult to study the planets. The poet R. S. Thomas caused quite a rumpus in Aberdaron when a street lamp, which was supposed to be advantageous to him, was placed near the Rectory, consequently destroying the view from his lounge of the spectacular sunsets over Bardsey.

The belief that the moon affects human beings comes from the dawn of civilization. Even the word 'lunatic' comes from 'luna', the Latin word for 'moon'. If it was believed that the moon did influence people, it should be respected and given a day of its own every week; 'Monday' is really 'Moon Day', which follows the 'Sun Day'. We, as Christians, have not forgotten the moon because by it we calculate Easter Day. It is the Sunday following the first full moon after the twenty second of March. Yet it is the sun that is pre-eminent in our faith. This is reasonable since the sun is the source of life on earth. Every ancient church faces east; that is, towards the rising sun. Christians are also buried facing east. The rising sun is the symbol of the resurrection. Also as Christians, we believe that we are the 'Children of Light' and so we enter many of our churches through a door in the south wall, since the sun shines longest on that wall. Llanfigael Church is a good example. The north wall is the nearest to the churchyard gate but we have to go round the corner of the church to find the door, naturally in the south wall.

Y drws ym mur gogleddol Eglwys Bodedern
The door in the north wall of Bodedern Church

If there is goodness in the world, there is also wickedness. In some of our old churches we are reminded of this in a visible way, and the visible was very important in the Middle Ages, when people could neither read nor write. So sometimes we find a door in the north wall as well as in the south wall. The Parish Church of Bodedern is a good example. The sun never shines on the door in the north wall so it is called 'the Devil's door'. It has its purpose because before the Reformation, if one of the parishioners had committed a sin worthy of excommunication, the priest would call out the sinner's name during Mass on Sunday Morning. (In the Middle Ages there was nothing more humiliating than to be 'named' in church.) After hearing his or her name called out, the sinner would step forward, the priest would name the sin and the sinner had to walk out of the church, not through the door in the south wall, the door of the 'saints', but through the door in the north wall, 'the Devil's door'. This was a visible sign that the parishioner had been excommunicated – prohibited from receiving communion. But this was not the end of the story. There was forgiveness. A repentant sinner who had performed his penance would be received back into the church. This again was done in front of the congregation. He or she would walk into the church, not through 'the Devil's door', but through the door of the 'Children of Light', the door in the south wall.

For us today the idea of 'the Devil's door' may belong to another world, but it was very real to the faithful in the Middle Ages. If they were excommunicated and not received back to the bosom of the church, they knew that Hell's fire was their fate for eternity. They could see the torments that awaited them so vividly and horribly painted on the walls of their churches.

OERNI

Fy ngweddi yw, 'O na byddai'n haf o hyd'. Efallai mai'r rheswm am hyn yw'r ffaith fy mod wedi gorfod dioddef cymaint o oerni yn ystod fy mywyd. Gartref yn Llŷn ar y fferm, byddwn yn aml yn dweud y buaswn yn gynhesach yn eistedd ar ben y clawdd allan nag yn y 'llawr', gair Llŷn am ystafell fyw. Roedd gan fy mam enw am lolfa hefyd, 'y pen ffyrfa', hynny yw yr ystafell orau yn y tŷ. Pan ddeuthum i Fôn bu'n rhaid imi ddysgu geiriau newydd am ystafellodd y tŷ. Byddai fy ffrind, y ddiweddar Grace Hughes, a fu'n gweithio yng Nghymunod, Bodedern, am dros hanner canrif, yn galw ystafell eistedd yn 'gegin'. 'Kitchen' oedd cegin i mi, ond i Grace 'briws'. Mae'n debyg mai o'r gair Saesneg 'brew' y daeth briws. Roedd yna barlwr hefyd yng Nghymunod ond fyddai neb yn mynd i'r fan honno unwaith y peidiodd y pregethwyr â dod yno i fwrw'r Sul.

Allaf i ddim dweud fod yna ddiffyg tân ar y fferm gartref oherwydd unwaith y byddai'r teulu'n cadw noswyl, taniai fy mam fatsen a'i rhoi yn y 'tân oer'. Byddai'r tân oer yn bapur, priciau a thalpiau mân o lo wedi cael eu rhoi yn y grât fel un o orchwylion pen bore; yn yr hwyr wedyn, dim ond taflu llond tun o baraffin ar ben y cyfan fyddai eisiau cyn tanio'r fatsen. Yn wir, yn fuan iawn gallech rostio eidion o flaen y tanllwyth. Waeth am hynny, i fyny'r simdde yr âi'r rhan fwyaf o'r gwres a byddai'r drafft o dan y drws fel cyllell yn erbyn fy ngwegil.

Pan gyrhaeddais Sir Fôn, roeddwn yn credu fy mod wedi ffarwelio â chaledi bywyd stoicaidd Llŷn, ond cefais fy hun mewn rhewgell o dŷ unwaith yn rhagor. Roedd gan y diweddar Ganon Norman Hughes ddamcaniaeth ynglŷn ag apwyntiadau'r Eglwys yng Nghymru. Byddai hen lanc o offeiriad bob amser yn sicr o gael plwyf hefo clamp o Ficerdy. Dylai ef, druan, wybod ac yntau'n byw, nid mewn plasty o ficerdy ond mewn castell o un ym Mhentraeth. Byddai ei gath yn gwrthod aros yn y ficerdy wedi iddi gael ei bwydo oherwydd fod y tymheredd yn uwch oddi allan nag oddi mewn. Byddai Ficerdy Bodedern a Ficerdy Pentraeth yn fendigedig petai Norman a minnau wedi bod yn feibion i sgweieriaid ganrif yn ôl, oherwydd i'r cyfryw rai yr adeiladwyd hwy. Y werin oeddem ni'n dau, yn byw o'r llaw i'r genau a heb obaith gallu cynnau tân yn yr holl ystafelloedd, fel y dylid gwneud. Erbyn hyn, mae'r Eglwys yng Nghymru wedi gwerthu pob un o hen ficerdai mawr Sir Fôn a phersoniaid heddiw yn cael byw mewn tai modern cynnes. Yr olaf i gael ei werthu oedd Ficedry Llandrygarn, a chyda hynny daeth ffordd o fyw i ben. 'Hen dro', meddai pawb, heblaw am y rhai a fu'n byw ynddynt.

Mae'n hawdd cymryd yn ganiataol foethau'n dyddiau ni. Ni all plant heddiw feddwl am gartref heb ddŵr mewn tap. Un o'm gorchwylion i ar y fferm oedd cario 'dŵr yfed' o'r ffynnon ar ochr y mynydd, a gorfu i mi wneud hynny'n ifanc iawn. Roedd yna afon yn llifo drwy'r cae wrth ochr y tŷ ond am reswm arbennig iawn, 'dŵr budr' oedd ynddi. Roedd yna bwmp yn yr iard wedi ei gysylltu â'r afon a châi'r dŵr ei ddefnyddio i bopeth ond i'w yfed. Y rheswm am hynny, a bûm am flynyddoedd heb wybod pam, oedd y ffaith fod y fferm ychydig yn uwch na ni yn y dyffryn wedi troi rhan o'r afon i fynd drwy'r 'tŷ bach' ym mhen draw'r ardd a'r dŵr yn dychwelyd wedyn i'r afon fawr. Iachusol iawn iddynt hwy ond nid i ni, gan mai i'r pant y rhed y dŵr. Byddai'r fferm nesaf i lawr y dyffryn yn yfed dŵr yr afon a phrotestiwn i o'r herwydd. Ateb fy mam imi oedd nad oedd plant ganddynt hwy i gario dŵr o'r ffynnon. Fodd bynnag, bu'r gŵr a'r wraig fyw yn hen iawn.

Roedd yna bwmp dŵr ym mhob pentref. Er fod y pwmp ei hun wedi diflannu o Fodedern, mae'r fan lle byddai i'w weld o hyd. Mae hanes trist iddo. Roedd Capten King yn byw ym Mhresaddfed ac un diwrnod daeth trempyn o Wyddel at ddrws ffrynt y plas. Digwyddodd Capten King ei weld a dywedodd wrtho am fynd at y drws cefn. Am ryw reswm aeth y Gwyddel yn wallgof a thrawodd y Capten. Ymhen ychydig ddyddiau bu farw. I goffáu'r gŵr bonheddig, penderfynodd teulu Penrhos, Caergybi, wneud rhywbeth ymarferol iawn, sef cyflwyno pwmp i'r pentref ac adeiladu cofeb hardd o'i gwmpas.

Pwmp pentref Bodedern
The pump in Bodedern

COLD

My prayer is expressed in the words of an old Welsh song, 'O! that it were always summer'. The reason for this no doubt is because until recently, I have spent my life living in almost arctic conditions. On the farm where I was brought up, I used to complain that it would be warmer if I sat outside rather than in the living room, as the draught under the door and from the windows cut through me like a knife. My mother referred to the living room as 'llawr', 'ground floor'. I suppose this goes back to the days when there was a hanging loft over half of the farmhouse's living area, thus forming a first floor. The word is still in use by the older folk of Llŷn. My mother had a name for 'lounge' as well; it was 'y pen ffyrfa', the 'noblest room'. The late Grace Hughes, who had been a housekeeper in Cymunod Farm for over half a century, called the living room the 'kitchen', while the kitchen was the 'briws' (brewing room). On the farm we also had a parlour, which should really have been called the 'piano room'. No one ever entered the parlour except to play the piano. Cymunod had a fine parlour but no one opened its door after the itinerant preachers stopped calling at the farm for tea on Sunday afternoons, except of course for the annual Spring Cleaning ritual.

It was not that there was no fire in the living room at home because once we had all settled down for the evening, my mother would set a match to the 'cold fire'. The cold fire would consist of yesterday's newspaper, a 'ffagl' or torch of withered gorse, dry sticks gathered from the mountain side on summer days between haymaking and the corn harvest, 'gleuod' or dried cow-pats and small pieces of coal, deftly placed on top of one another to form a small pyramid, plus all sorts of inflammable objects that had to be got rid of. These were like decorations over everything. Its preparation was my mother's first task after breakfast. Should visitors then call unexpectedly, she would only have to throw a tinful of paraffin over everything, light a match and in a few seconds flames would be roaring up the chimney. I never remember the sweep calling at the farm. I suppose the paraffin made sure that any soot that had accumulated the previous evening would be set alight. Had the chimney ever caught fire, the whole house would have been reduced to ashes, as the fire station was ten miles away in Pwllheli. In spite of the inferno in the grate, I was never warm since most of the heat escaped up the open chimney.

When I arrived in Anglesey I thought I had said goodbye to the stoic life of Llŷn but once more I found myself almost living in a fridge. The late Canon Norman Hughes had a theory concerning appointments made by Bishops and various committees of the Church in Wales. Bachelor priests would always find themselves in parishes with huge vicarages. He should know because he did not live in a mansion but almost a castle of a Vicarage at Pentraeth. He used to say that his cat, once fed, preferred to go out rather than stay in the house during the winter months. Often the temperature was higher in the garden than in the house. The only consolation was the fact that flowers given as Christmas presents would last until Easter, with the water sometimes frozen hard in the vases if left in the hall. The Vicarages of Bodedern and Pentraeth would have been delightful if Norman and myself had been sons of squires living in the nineteenth century. These houses were period houses built for that age. We were fish out of water in them since we could only afford a fire in a couple of rooms. By now the Church in Wales has sold all these large vicarages and parsons today are allowed the luxury of living in modern, manageable, centrally-heated houses. The last period vicarage in Anglesey to be sold was the one at Llandrygarn and with this, a way of living came to an end. Some think this is sad, but not those who shivered in them during the latter part of the twentieth century.

It is easy for us today to take for granted all the modern amenities around us. A child today cannot imagine a home without running water. One of my first duties on the farm was to carry drinking water from a well on the side of the mountain. There was a river flowing conveniently through a field at the side of the house but its water was referred to as 'dirty water', and that for a very good reason as I discovered later. There was an iron pump in the yard in front of the house and I would happily pump away filling all sorts of buckets and tanks. For years I could not understand why I had to go half way up the mountain for drinking water when, as far as I could see, there was water, as clear as gin, within a few yards of the farmhouse. Perhaps it would have been understandable if carrying water from the well was a kind of punishment for my wrong doings, as churning by hand was on Saturday mornings, but this appeared to be a necessity.

Higher up the valley from where we lived was another farmhouse. One day I found out that they were far more advanced than we were in one respect. Like us they had a 'petty', a word that went out of use years ago, built in the garden and as far as possible from the house. Their petty was a real WC. They had diverted some water from the main river to run as a stream through it, but the stream coming out of the petty ran into a culvert to rejoin the main river further down in the field. This arrangement was very hygienic for them, but not so for us living down the valley. Further still down the valley there was another farm where an elderly couple lived. They never considered the river water 'dirty' and lived to a ripe old age, obviously immune to any germs!

There used to be a pump in every village. The pump has long disappeared from Bodedern village but the stone construction built around it is still there. Over two hundred years ago, Captain King was the squire who lived at Presaddfed and one day an Irish peddler called at the front door. Captain King happened to see him and told him to go round to the back door. The peddler went into a frenzy from some unknown reason and gave Captain King such a blow on his head that he died within a few days. As a memorial to the poor fellow, the Penrhos family from Holyhead decided to present the village with a pump and erected a fine monument to Captain King around it.

LLANFIGAEL

Mae Eglwys Llanfigael yn wahanol i bob eglwys arall ym mro'r *Rhwyd* oherwydd fod amser wedi aros yno. Mae ailgynllunio ac ailddodrefnu wedi digwydd ym mhob un arall, ond os ydych am weld sut yr edrychai eglwys yn y ddeunawfed ganrif, trowch i mewn i Lanfigael.

Sant anhysbys yw Vigilius, ei nawdd sant, er bod yna Bab o'r un enw yn y bedwaredd ganrif. Enwau Lladin sydd gan y seintiau Celtaidd ac fe'u Cymreigiwyd yn rhwydd, ond nid felly 'Vigilius'. Mae hyn i'w weld yn amlwg ar arysgrifau'r cerrig beddau. Weithiau ceir Llanfugail neu Llanfugael, yna Llanfigaul neu'r ffurf gyffredin heddiw, Llanfigael. Yn waeth fyth, cymysgwyd 'Figael' a 'bugail'. Cawn neb llai nag Angharad Rhys, ar ei thaith drwy Fôn, yn ysgrifennu: 'I passed the Church of the Shepherd'. Mae'r dryswch yn dal i fodoli gyda'r ddau 'Maen Figael', y ddwy greigen sydd yn y môr, un ger Enlli a'r llall ger Cemaes, Môn. Credir mai creigiau bugeiliaid oeddynt, er anodd credu beth fyddai ar fugeiliaid eisiau hefo dwy greigen noeth.

Mae'r enwog William Morris, un o Forrisiaid Môn, yn gysylltiedig ag Eglwys Llanfigael gan iddo briodi aeres y Stad. Yn ei ddyddlyfr, ysgrifennodd ei fod 'wedi priodi gwraig a hanner eglwys'. Mewn geiriau eraill, roedd hanner y gynulleidfa a welai yn yr eglwys ar fore Sul yn ddenantiaid iddo. Chwarae teg i William Morris, yr eglwyswr da, y peth cyntaf a wnaeth fel sgweier Llanfigael oedd penderfynu atgyweirio'i eglwys blwyf. Pan glywodd y person hyn, protestiodd yn arw. Gobeithiai y byddai Eglwys Llanfigael yn troi'n furddun, gan ei adael yntau hefo un eglwys yn llai i ofalu amdani. Dygnu ymlaen i gasglu arian a wnaeth William Morris, ac mewn llythyr dyddiedig Awst 1758, gallai ysgrifennu, 'Dacw'r Deml wedi ei thaclu ond odid gystal neu well nag un ar yr ynys – och mor brydferth yw'.

Erbyn 1840 roedd yr eglwys mewn cyflwr drwg unwaith eto, ond prynodd Owen Owen, Caerau, Llanfair-yng-Nghornwy, Stad Llanfigael, a'r peth cyntaf a wnaeth yntau fel sgweier newydd oedd atgyweirio'r eglwys o'i boced ei hun.

Y tu fewn i Eglwys Llanfigael / Inside Llanfigael Church

Bu Lewis Morris, brawd William Morris, yn gweithio i Stad Bodorgan ac yn 1729, ac yntau yng nghyffiniau Rhoscolyn, tynnodd gynllun o Eglwys Rhoscolyn. Hyd heddiw, mae'r tu fewn i Eglwys Llanfigael yn edrych yn hollol fel y cynllun. Felly ni wnaeth William Morris nac Owen Owen newid dim arni wrth ei hatgyweirio.

Mae'r pulpud ar y canol yn erbyn y mur gogleddol, fel y bo'r person yn pregethu yng nghanol y gynulleidfa. Bwrdd o allor sydd ynddi a'i dalcen yn erbyn y mur dwyreiniol, gyda lle i'r person sefyll â'i ochr, nid ei gefn, at y gynulleidfa. Gallent hwythau weld y cwpan a'r plât drwy'r gwasanaeth Cymun. Fel Protestaniaid, gofalwyd nad oedd unrhyw awgrym o swyngyfaredd i fod mewn gwasanaeth Cymun.

Mae rheiliau'r allor yn uchel, a hyn yn ôl gorchymyn yr Archesgob Laud. Gan fod cŵn yn dod gyda'u meistri i'r gwasanaethau, roedd yn rhaid eu gwahardd rhag mynd at yr allor. Mae sedd y sgweier wrth y ddesg. Seddau bocs clud i'r ffermwyr a'u teuluoedd, y dosbarth canol, ond meinciau di-gefn i'r gwasanaethyddion. Roedd yn y gymdeithas un dosbarth arall, sef y tlodion. Gofalwyd fod lle iddynt hwy hefyd – i sefyll yn y cefn.

Mae'r pulpud yn uchel a stepiau yn arwain ohono i lawr at ddesg y gwasanaethau. Wrth droed y pulpud mae sedd y clochydd – lle hwylus iddo allu neidio am yr efail gŵn petai yna gwffas yn ystod y gwasanaeth.

Cwpan cymun Eglwys Llanfigael
The Llanfigael chalice

Trysor mawr yr eglwys yw'r llestri cymun. Mae'r dyddiad 1574 ar y cwpan. Dyma'r flwyddyn y penderfynodd Elisabeth I aros yn hen ferch a gwrthod priodi Philip o Sbaen. O hynny ymlaen, roedd y grefydd newydd ar dir cadarn a chan y byddai'r ffyddloniaid, fel Protestaniaid, yn cyfrannu o'r gwin yn ogystal â'r bara, byddai angen cwpan mwy. Mae'r gloch hefyd yn hen ac ar hon ceir y flwyddyn 1642, ynghyd â'r arysgrif 'God Save This Church' – gweddi amserol iawn â Chromwell a'i filwyr yn mynd o gwmpas yn malurio eglwysi.

Mae rhybudd wrth y porth, sef camfa, yn atgoffa mai drosti hi y câi'r rhai ysgymunedig eu cludo ar ddydd eu hangladd, ac nid trwy'r porth, porth y defaid cadwedig.

LLANFIGAEL

Llanfigael Church is unique amongst the churches in the area. Time has stood still there. During the last two hundred years, all the other churches have been extended, rebuilt or refurbished: not so Llanfigael. So a visit there is worthwhile if only to see how churches looked in the eighteenth century.

Vigilius is an obscure saint, although there was a Pope Vigilius in the fourth century. The Celtic Saints had Latin names but soon took on Welsh forms. Not so Vigilius. This problem is plainly seen in the inscriptions on the gravestones. On some you see Llanfugail, Llanfugael, Llanfigaul and the present spelling, Llanfigael. Worse still 'Figael' was taken for 'fugail', 'shepherd'. Such a literary person as Angharad Rhys, on her itinerary tour around Anglesey, wrote in her diary, 'I passed the Church of the Shepherd'. There is still confusion over two rocks, one off Bardsey Island and the other off Cemaes Bay, Anglesey. Each is called 'Maen Figel' (Figel's Rock), but mistakenly referred to in Welsh and English as 'The Shepherd's Rock'. It is difficult to see what use two bleak rocks out in the sea would be to any shepherd. Many an island around Anglesey was dedicated to a saint so that sailors could pray to him or her for their protection. St. Figel, in the Middle Ages, was thought of as a worthy enough saint to protect ships from being wrecked against these two rocks.

The famous William Morris, one of the Morris Brothers of Anglesey, is closely connected with Llanfigael Church. This is because he married the heiress of Llanfigael Estate. In his diary he wrote, 'I married a wife and half the church'. In other words, half the worshippers who attended the church on Sunday were his tenants. Fair play to William Morris, the good

Anglican, the first thing he did when he became squire was to renovate his parish church. As soon as the parson who lived at Llanfachraeth heard about the new squire's intentions, he protested most vehemently. He already had three churches so he had hoped that Llanfigael Church would gradually become a ruin and no doubt he could have managed two by himself without a curate. William Morris was not deterred but collected enough money to carry on with his intentions and was able to write in his diary in August 1758, 'The work on the temple has been completed, it is as good or even better than any on the island. How fine it looks.'

By 1840 the church was in a bad state of repair once more, but by this time Owen Owen, of Caerau, Llanfair-yng-Nghornwy, had bought Llanfigael Estate. He, like William Morris, repaired his church, and was able to do it out of his own pocket.

Lewis Morris, the brother of William Morris, was a land surveyor for the Bodorgan Estate and during his duties in various parishes, he would draw quite often a sketch of the parish church and a plan of its inside. In 1729 he was working in Rhoscolyn and we still have his plan of the interior of that parish church. Today, the seating arrangement, the altar, the pulpit and all the furniture at Llanfigael are exactly like those in Rhocolyn Church in the early eighteenth century. So neither William Morris nor Owen Owen changed anything at Llanfigael Church during their renovations.

The pulpit is in the centre against the north wall, making sure that, while preaching, the parson is literally in the middle of the congregation. In those days, the sermon would last an hour so he had to make sure that no one fell asleep. The altar is a plain table with its side against the east wall. A space has been provided so that the parson can stand with his side towards the congregation, and not his back. In this way the congregation see the chalice and paten throughout the service of Holy Communion. As Protestants, there should be no hint of the enchantment of the Latin Mass in their service.

The altar rails are unusually high and this is to comply with an edict from Archbishop Laud. Since dogs were allowed to accompany their masters to divine service, Laud wanted to make sure that they were kept away from the altar legs. The squire's seat is by the reading desk and there are steps leading from it to the pulpit. The box seats are very snug for the farmers and their family, free from draughts and prying eyes, while their servants sat on backless benches. The wretched paupers had to stand at the back of the church, where a special space was provided for them. The sexton had a seat in the passage against the pulpit. This was very convenient for him so that he could easily jump and grab the dog tongs during a fight and drag the offending animals out into the churchyard.

Y gamfa yn Eglwys Llanfigael
The style in Llanfigael Church

Llanfigael has one treasure, a chalice and paten dated 1574. That was the year when Elizabeth I decided to remain a spinster, refusing to listen to the endless proposals of marriage from Philip of Spain. From then on the new religion was on firm ground. Protestants had the right to partake of the wine as well as the bread at Holy Communion, so a much larger chalice was needed, and this was the one provided for this purpose. Miraculously it is still with us, though in safekeeping. There is a date also on the bell, 1642, together with the inscription, 'God Save This Church'. A most apt prayer for that year when Cromwell's soldiers were marauding about Anglesey destroying church property.

There is a style by the churchyard gate over which the coffin of an excommunicated person was carried on the day of his or her funeral. The churchyard gate was the entrance to Paradise whilst the steps over the style led to everlasting damnation.

AWR FAWR GALAN

Newydd gyrraedd Ficerdy Bodedern yr oeddwn pan glywais sŵn anghyfarwydd iawn. Agorais y drws a gweld pedwar o fechgyn yno'n 'clapio'. I un a gafodd ei fagu yng ngwlad Llŷn, ni wyddwn beth oeddynt yn ei wneud. Eglurodd un ohonynt mai casglu wyau oeddynt oherwydd ei bod hi'n Basg. Gofynnais innau beth oedd a wnelo'r Pasg ag wyau. I'm mawr lawenydd roedd y pedwar yn gwybod yr ateb. Deuai cyw o ŵy fel ag y daeth Iesu o'r bedd ar fore'r Pasg.

Dyma'r tro cyntaf a'r olaf imi weld plant Môn yn clapio, a hynny ym Mawrth 1961. I wneud y sŵn, roedd ganddynt 'glapiwr'. Darn o bren ydoedd a dau ddarn arall wedi eu rhwymo o boptu iddo. Wrth ei ysgwyd, roedd digon o sŵn yn cael ei gynhyrchu i godi'r marw. Rwy'n credu i'r arferiad o glapio ddod i ben pan wnaeth ffermwyr a thyddynwyr roi'r gorau i gadw ieir a dechrau prynu wyau glân, di-liw a di-flas yn y siopau mawr. Roedd y rhain yn rhy ddrud i'w rhannu i blant.

Calennig fyddai plant Llŷn yn ei fegera a hynny ar y dydd cyntaf o Ionawr. Nid wyau fyddem ni'n disgwyl ei gael ond ceiniog. Daw y gair 'calennig' o'r Lladin 'calenda', dechrau. Dydd Calan yw dechrau'r flwyddyn newydd fel ag y mae Calan Mai yn gyntaf o Fai a Chalan Gaeaf yn ddechrau'r Gaeaf, ac ar Ionawr y cyntaf rhown Galendr ar y mur.

Mae yna hen rigwm yn sôn am galan:

> Awr Fawr Galan
> Dwy Ŵyl Eilian
> Tair Ŵyl Fair
> Os nad pedair.

Sôn mae'r rhigwm am y dydd yn ymestyn ac erbyn Calan, Ionawr y cyntaf, mi ddylai'r dydd fod yn hwy o awr. Ond camddehongli yw hyn. Sôn y mae'r rhigwm am y 'Fawr Galan'. Y Fawr Galan oedd yr hen galan. Roedd Iwl Cesar wedi dweud mai 365 o ddyddiau oedd mewn blwyddyn ond erbyn 1752, sylweddolwyd nad oedd hyn yn gywir. Yn wir, petai pethau'n mynd ymlaen lawer ymhellach, byddai cwsberis yn y gaeaf a'r Nadolig yn yr haf. Felly newidiwyd y calendr. Neidiwyd ymlaen dri dydd ar ddeg – a sôn am brotestio! Roedd pawb wedi colli tri dydd ar ddeg o'u heinioes. (Mae'n beryglus iawn chwarae hefo amser. Pan oeddwn i yn y coleg a ffrindiau'n dod i aros ar y fferm, byddai gennyf gywilydd gorfod gofyn i'm mam faint oedd hi o'r gloch, fel petawn i heb ddysgu'r amser. Roedd y clociau i gyd o flaen yr amser er mwyn i'm mam a'm tad gael chwarter awr neu hyd yn oed hanner awr wrth gefn cyn mynd i'r capel neu i'r farchnad. Fe ddywedir mai arferiad ffermwyr Llŷn o droi'r cloc ymlaen a roddodd y syniad i Lloyd George am yr 'amser haf' yn ystod y Rhyfel Byd Cyntaf. Fyddem ni byth yn troi'r cloc yn ôl yn yr hydref. Gallwn gychwyn ar y bws o Laniestyn am ddau a gweld ar gloc y dref fy mod wedi cyrraedd Pwllheli am chwarter i ddau.)

Gwyddfor, Ficerdy Bodedern
Bodedern Vicarage

Gwrthododd rhai gydymffurfio yn 1752 ond dal i gadw at yr hen galendr, gyda'u Dydd Calan hwy yn disgyn ar y trydydd ar ddeg o Ionawr, y Fawr Galan. Erbyn hynny fe ddylai'r dydd fod wedi ymestyn awr. Daw Gŵyl Eilian yn Chwefror a Gŵyl Fair ym Mawrth, tair neu bedair gan ddibynnu pa Ŵyl Fair oedd hi.

Ond fel yr âi'r blynyddoedd ymlaen a gwyddonwyr yn gallu mesur amser yn fwy cywir, deallwyd fod 365 a chwarter o ddyddiau mewn blwyddyn. Yr ateb oedd cael Blwyddyn Naid, gyda'r mis bach yn cael un diwrnod ychwanegol bob pedair blynedd.

Blwyddyn beryglus i hen lanciau yw blwyddyn naid ac yn enwedig i gybydd o hen lanc. Pasiwyd deddf ddiddorol iawn yn yr Alban i ddelio â'r cyfryw rai. Yn ôl Deddf Blwyddyn Naid, gall 'maiden lady bespeke ye man she likes' ac os nad yw'r hen lanc yn ymateb yn ffafriol, bydd yn rhaid iddo roi punt iddi. Ond os yw'n gallu profi i'r 'maiden lady' fod ganddo gariad yn barod, caiff y bunt aros yn ei boced.

OLD NEW YEAR'S DAY

I had just arrived at the Vicarage in Bodedern when I heard a strange noise outside. I opened the front door and saw four boys 'clapping'. As one who had been brought up in the Llŷn Peninsula, I had no clue as to what was going on. One of the boys explained that they were clapping for eggs, because it was Easter. I asked them what was the connection between eggs and Easter and to my great delight, they were able to explain that a chick comes out of an egg as Christ had come out of the tomb on Easter Morning.

That was the first and last time I saw and heard Anglesey children 'clapping' for eggs, and it was March 1961. The 'clapper' that they used was a long piece of wood with two shorter pieces each side. As they rattled it about there was enough noise produced to wake the dead. I believe the ancient practice of clapping for eggs came to an end because the farmers and smallholders no longer kept hens. They found it cheaper and less trouble to buy nice clean eggs from supermarkets, pale and tasteless though they were. Shop eggs were costing too much to be given away to children.

Golwg arall ar Ficerdy Bodedern
Another view of Bodedern Vicarage

New Year's day was the time when I used to go about the countryside begging. I did not expect to receive eggs but pennies. The Welsh word for January the first is 'Calan', from the Latin word meaning 'beginning'. Also from the same Latin word comes 'Calendar'. 'Calan Mai' is used for the first day of May, the first day of summer, and 'Calan gaeaf' for the first day of November, the beginning of winter. There is an old rhyme which explains the lengthening of the days at the beginning of the year. It says there is an extra hour of daylight on New Year's Day, but this refers to the Old New Year.

Caesar had decreed that there were 365 days in a year, but by 1752 it was obvious that things were not as they should be. If the trend continued, Christmas would be in summer and Midsummer Day in winter. So the Calendar was changed. They jumped forward thirteen days. Then the protesting began. Thirteen days of people's life had been taken away from them! To counter this, some kept to the old calendar and their New Year's Day was held on the thirteenth of January. In time everyone accepted the new calendar but January the thirteenth is still called Old New Year's Day. The rhyme goes on to say that by St. Eilian's Day in February, the day has lengthened two hours and by St. Mary's Day in March, three hours or even four, depending I suppose which St. Mary's Day is referred to.

As the years passed and knowledge of the universe increased, it became known that there are 365 and a quarter days in a year. To resolve the matter, it was decided to have a Leap Year every fourth year.

For some unknown reason Leap Years became dangerous commodities for bachelors and especially if those bachelors were also misers. There was a most interesting law passed in Scotland to deal with those miserly fellows. According to 'Leap Year Law', a maiden lady could 'bespeke ye man she likes' and if the man did not respond favourably, he had to give her a pound. But if he could convince the 'maiden lady' that he had someone in mind, although he was still a bachelor, he could keep his pound.

MADAM WEN

Mawr fu'r edrych ymlaen am weld *Madam Wen* ar y teledu a sianel S4C newydd ei geni. Ond dyna hen dro, oherwydd os bu 'flop' erioed, fe'i cafwyd y noson honno. Waeth am hynny, mae rhyw gyfaredd o hyd yn gysylltiedig â hi, er fel nofel gaboledig nid yw'n taro deg o gwbl.

Ganwyd W.D. Owen yr awdur yn 1874 mewn bwthyn o'r enw Tŷ Frannan ym mhlwyf Bodedern. Mae Tŷ Frannan yn bum cant oed o leiaf oherwydd bu Richard Brannan farw yno yn 1582. Roedd galw tŷ ar ôl y perchennog yn arferiad Cymreig a dyna a ddigwyddodd yma. Aeth W.D. i'r Coleg Normal, Bangor ac wedi ennill tystysgrif athro, aeth i ddysgu i Clay Cross, Swydd Darbi. Nid oedd yn hapus fel athro a phenderfynodd astudio'r gyfraith. Cafodd ei dderbyn yn fargyfreithiwr ond gwaetha'r modd, collodd ei iechyd. Daeth yn ôl i Fôn ac ymgartrefu yn Rhosneigr.

Tŷ Frannan, lle ganed W.D. Owen
Tŷ Frannan, birthplace of W.D. Owen

Gadawodd Rhyfel 1914-18 ei ôl yn erchyll ar wŷr ifainc Môn. Agorwyd swyddfa yn Llangefni fel y gallai'r clwyfedigion hawlio pensiwn. Apwyntiwyd W.D. yn brif swyddog yno a mawr fu ei ddiwydrwydd i ofalu bod tegwch yn bodoli. Agorodd swyddfa yn ei gartref yn Rhosneigr a mawr fu'r galw amdano yno hefyd i achub cam y gwan mewn achosion cyfreithiol.

Yr oedd W.D. yn hoffi cwmni ac ymunodd â bywyd cymdeithasol y pentref. Yr oedd digon o fynd ar bethau yn y blynyddoedd cynnar wedi'r rhyfel. Amser i wario ac i anghofio ffosydd Ffrainc oedd hi. Roedd ffatrïoedd newydd yn agor yn wythnosol yn Lloegr a'r cyflogau gystal fel y gallai'r gweithwyr fynd am wythnos o wyliau oddi cartref am y tro cyntaf erioed. Nid oes man fel Rhosneigr am awyr iach. Yr oedd y trên yn hwylus i gannoedd o drigolion perfeddion Lloegr i ddod i ymdrochi yn y môr neu i dorheulo ar y traeth. Tyfodd y pentref fel caws llyffant. Ym mhob cyfeiriad roedd yna 'villas', gwestai ac 'apartments' yn cael eu hadeiladu. Dyma flynyddoedd yr hafau crasboeth a gafwyd yn ystod hanner cyntaf y ganrif ddiwethaf. Gofynnwyd i W.D. ysgrifennu llyfryn i glodfori'r ardal ymhellach. Gwnaeth hynny gydag asbri. Cyfeiriodd at y fro fel 'ardal y llynnoedd' lle y bu 'the famous Lady Robin Hood of North Wales' yn smyglo.

Yn sicr, paratoi'r llyfryn roddodd y syniad i W.D. fod defnydd nofel yn ei ardal, 'ardal y llynnoedd', chwedl yntau. Pan oedd yn fachgen, byddai'n chwarae yn Nhrwyn Trewan ac wrth Lyn Traffwll, lle bu Cynan yn 'rhwyfo'r llyn a'r sêr uwchben'. Un diwrnod gwelodd hafn mewn craig. Yn ei ddychymyg trodd hi'n ogof, ogof ysmyglwyr. Heb fod nepell o'i gartref roedd fferm Cymunod ac yn y ddeunawfed ganrif Jane Wyn oedd y perchennog. Trodd Wyn yn Wen a dyma ni'n cael 'Madam Wen'. Yn ôl traddodiad roedd Jane Wyn, er yn hen ferch, yn hynod dlws yn ei hieuenctid, a dyma ni'n cael Einir Wyn. Ar un adeg Huw Roberts oedd yn ffermio Cymunod. Cofir amdano fel 'Huw Cymunod', y gŵr a allai gario trol ar ei gefn. Yn y nofel mae Morys Williams yn gallu codi Wil Llanfihangel fel codi cath a'i daflu dros y clawdd. Ond heb os nac oni bai, Lladron Crigyll oedd y symbyliad y tu ôl i'r cyfan, ac yn enwedig i gyfreithiwr. Yn *Llwynogod Môn*, mae'r Dr. Dafydd Wyn Wiliam yn croniclo eu gweithredoedd drwg a'u hanes o flaen y barnwr ym Miwmaris. Roedd aber yr afon Crigyll ger Rhosneigr yn ddelfrydol i longddryllwyr. Mewn storm byddent hefo lampau yn hudo llongau i fyny'r aber a'r rheini'n taro'n erbyn y creigiau danheddog ac yn cael eu dryllio. Yna, byddai'r lladron yn smalio cynorthwyo'r teithwyr a'r criw, ond wedi eu cael ar y traeth, eu lladd a rheibio'r cargo fyddai'r drefn. Roedd Lewis Morris yn eu casáu i'r eithaf:

> Os eu crogi sy'n eu rhan
> Gwnewch yn y fan hwy'n defyll:
> Na cheisiwch amdo nac un arch
> Rhag gormod parch i'r perchyll:
> Rhowch hwy'n noethion bob yn ddau
> Wrth greigiau traethau Grigyll.

Crogi ac alltudio fu diwedd rhai ohonynt ond llwyddodd y mwyafrif i gael eu traed yn rhydd i ddwyn ychwaneg, oherwydd diffyg tystion a barnwr meddw.

Bu W.D. farw yn 1925, ychydig fisoedd wedi i *Madam Wen* ymddangos o'r wasg.

WHITE LADY

With great expectations, we looked forward to seeing the first film produced for the new Channel, S4C, called 'Madam Wen' (White Lady), which was an adaptation of the novel with the same title. Sadly, it fell short of our expectations. However, *Madam Wen*, the novel, has still a magic of its own.

Its author, W.D. Owen, was born in 1874 in a small cottage called Tŷ Frannan, half way between Bodedern and Bryngwran, on the south side of the A55. The cottage is at least five hundred years old because Brannan died there in 1582. It was the custom of those days to call a dwelling after the person who lived there, be it man or woman. W.D. Owen entered the Normal College, Bangor and, after gaining his teaching certificate, took up a post in Clay Cross, Derbyshire. He was not very happy teaching so he decided to study law. He became a solicitor, but failing health forced him to return to Anglesey and he settled in Rhosneigr.

The Great War left a heavy mark on the young men of Anglesey and an office was set up in Llangefni to investigate those who had been wounded and to assist them with their claims for a pension. W.D. Owen was appointed chief officer and he made sure that they were all treated fairly. He also opened a solicitor's office at his home in Rhosneigr and a flourishing practice was established.

Llyn Traffwll, wedi'i dynnu o ogof Madam Wen
Llyn Traffwll, as seen from the White Lady's cave

W.D. loved the company of his fellow human beings and entered fully into the social life of the village. There was plenty of activity everywhere during the early years after the First World War. It was a time to spend and to forget the trench warfare in France. New factories were springing up like mushrooms in England and ordinary workers, for the first time, were able to have a week's holiday away from home. Where would they find a healthier spot than Rhosneigr? The trains were convenient to carry these holidaymakers from the smoky industrial cities of England to the clear air of Anglesey. In no time at all, they were on Rhosneigr beach filling their lungs with sea breezes and tanning their bodies on the sun drenched sands. These were the never-ending cloudless summers between the two wars that we hear about. Everywhere, villas and apartments were being built and W.D. was asked to write a booklet praising the area. He did this with gusto and referred to it as 'The lake district of Anglesey', a romantic place full of history where the famous 'Lady Robin Hood of North Wales' led the smugglers.

It is certain that in preparing the holiday booklet, W.D. realised that there was plenty of material for a novel in his so called 'lake district'. When he was a boy he used to play on the sand dunes, where the RAF camp is now. One day he saw a cleft in a rock and that became Madam Wen's cave. Nearby was the old farmhouse of 'Cymunod' and in the eighteenth century a Jane Wyn lived there. In the novel Jane Wyn (White) became Madam Wen (the White Lady). According to local tradition Jane Wyn was something of a Helen of Troy and in the novel Einir Wyn is the 'fairest of them all'. At one time, Hugh Roberts farmed Cymunod, a giant of a man who could carry a cart on his back and move huge boulders single-handed. In the novel Morys Williams threw Wil Llanfihangel over the hedge as if he was a mere cat. But there is no doubt that the Smugglers of Crigyll were his main source of inspiration. These villains were not only smugglers but also wreckers. The estuary of the river Crigyll was ideal for them to ply their wicked deeds. When the sailing ships were blown off course in a storm, they would use lanterns to entice the hapless vessels up the estuary where razor sharp rocks ripped holes in their sides. Then, pretending to save the drowning sailors and passengers, they would cudgel them to death and steal their belongings and the ship's cargo.

Some of the wicked fellows were caught more than once and brought to justice at the Assize Court in Beaumaris. Sadly, the intimidation of witnesses and drunken judges saw them set free and back on the beaches every time.

GŴYL DOMOS

Rwy'n cofio gwraig i berson yn dweud wrthyf unwaith mai'r diwrnod gorau ganddi hi o holl ddyddiau'r flwyddyn oedd Gŵyl Domos, a hynny am fod yr ŵyl yn disgyn ar yr unfed ar hugain o Ragfyr, y dydd byrraf. Roedd yn byw mewn plasty o Ficerdy a gafodd ei adeiladu pan oedd y personiaid yn gallu fforddio cynnau tân ymhob ystafell a fflyd o forynion i ofalu na ddiffoddent, ambell un ddydd a nos. Rwy'n grediniol nad oes neb yn rhan olaf yr ugeinfed ganrif wedi fferru'n fwy na gwragedd offeiriaid, a'r oerni erbyn Gŵyl Domos wedi treiddio i fêr eu hesgyrn. Wedi'r dydd byrraf, dim ond dygnu ymlaen oedd eisiau a gwres yr haul yn cynyddu o ddydd i ddydd fel balm i'w heneidiau.

Ar un adeg roedd Gŵyl Domos yn ddiwrnod i edrych ymlaen ato am reswm arall. Dyma'r diwrnod y byddai'r elusennau yn cael eu rhannu. Mae'r enw 'Tyddyn Tlodion' i'w gael o hyd mewn ambell blwyf: rhywun yn y gorffennol pell wedi rhoddi tyddyn i'r plwyf, yn aml mewn ewyllys, a'i rent i gael ei rannu ymysg y tlodion ar Ŵyl Domos.

Gŵyr pob person gwlad am y trafferthion a all ddeillio o geisio bod yn deg wrth rannu arian yr elusen. Câi rhai o'r plwyfolion eu sarhau o gynnig arian iddynt a byddai eraill yn ffyrnig iawn am nad oeddynt wedi cael digon. Rwy'n cofio imi gynnig arian yr elusen i hen wraig o Lechgynfarwy a hithau'n troi ataf yn sarrug a dweud fod arnaf i fwy o'u hangen na hi. Efallai ei bod yn dweud y gwir, ond nid oedd y person wedi ei enwi yn yr ewyllys fel un teilwng i dderbyn. Dro arall, hen ŵr doniol iawn o Fodedern yn gofyn imi a oedd o'n edrych fel petai'n bwyta gwellt ei wely.

Mae ffiniau'r plwyfi'n bwysig wrth rannu elusen. Wrth enwi'r plwyf mewn ewyllys, nid oes wiw mynd dros ffiniau'r plwyf hwnnw. Roedd ffin plwyf Llechgynfarwy yn dilyn y ffordd a oedd yn mynd drwy ganol pentref Trefor. Roedd angen person dewr iawn i rannu yn y tai ar yr ochr chwith i'r hen lôn bost wrth ichwi fynd i gyfeiriad Llangefni a diystyrru'r rhai ar yr ochr dde. Wedi iddi nosi y byddwn i'n mynd o gwmpas ac yna, fel y dywed y Sais, 'make a quick get away'.

Ar fur Eglwys Cybi Sant mae yna ewyllys, wedi ei hysgrifennu ar ddarn o bres, sy'n dweud fod un o deulu Penrhos wedi gadael arian i'w rannu i ferched dibriod a oedd wedi treulio'u holl ddyddiau fel howsgiperiaid, ac a oedd hefyd o fuchedd dda. Anodd cael rhai felly heddiw. Mae elusen fawr Llantrisant wedyn yn manylu'n arw. Nid oedd wiw i'r rhai a oedd yn ei derbyn regi, cweryla, meddwi, na rhodianna ar y Sul, a disgwylid iddynt fod yn eu gwlâu erbyn wyth!

Ni all neb newid ewyllys y diweddar Archddiacon Evans, un o gynreith-oriaid Llanfaethlu. Mae'r cyfan wedi'i gerfio ar lechen ac i fyny ar fur yr eglwys. Gwyddai ef am sawl llain ac adeilad a ddiflannodd drwy ddirgel ffyrdd yn y gorffennol a gwyddai hefyd pwy oedd y troseddwyr parchus!

Yn y gorffennol roedd un diwrnod arall wedi ei neilltuo i gynorthwyo'r anghenus, sef Gŵyl Steffan, drannoeth y Nadolig. Mae'r enw Seisnig ar y diwrnod yn dal i'n hatgoffa o'r arferiad, 'Boxing Day'. Diwrnod i agor y blychau, y cyff, a fyddai wrth ddrws ein heglwysi. Mae 'For the Poor', mewn llythrennau haearn, ar rai ohonynt. Diwrnod gwirion i rannu yn ein tyb ni, a'r Nadolig heibio. Ond nid ym mis Hydref y byddai'r oes honno yn dechrau eu Nadolig hwy fel ni, ond ar yr ŵyl ei hun, a pharhau i'w dathlu am ddeuddeng niwrnod. Ni allai neb helpu ei hun i arian y tlodion o'r blychau. Mae dau, neu hyd yn oed dri chlo, arnynt a'r rheini hefo agoriad gwahanol. Nid cadw lladron draw oedd pwrpas y cloeau ond gofalu na allai yr un o'r rhai a apwyntiwyd i'w hagor a rhannu'r arian helpu ei hun, boed o'n offeiriad neu'n warden. Byddai'n rhaid iddynt i gyd fod yn bresennol i bob un agor y clo y perthynai ei agoriad ef iddo. Nid oes dim tebyg i fod yn ofalus, neu'n hytrach i ragweld gwendidau'r natur ddynol!

Ffin y plwyf trwy bentref Trefor
The parish boundary in the village of Trefor

FEAST OF THOMAS

I remember a vicar's wife telling me that her favourite day of the year was the Feast of Thomas because it falls on the twenty first of December, the shortest day. She lived in a mansion of a vicarage, built for people who could afford a legion of servants to keep the fires alight in every room, not allowing any of them to go out day or night during the depth of winter. I believe that no section of the community has suffered more cold during the second part of the twentieth century than the wives of vicars. By the Feast of Thomas, the intensity of coldness had penetrated the marrow of their bones. After the shortest day, they only had to soldier on while the sun rose higher and higher in the sky day by day, with vicarages becoming habitable once again. The Feast of Thomas, though in mid winter, brought a little balm to their frozen souls.

At one time, the Feast of Thomas was a day to look forward to for another reason. This was the day for distributing the alms from various charities. You can still find a smallholding here and there called the 'Poor House'. It was not for poor people to live in but given by a benefactor in the past, in his or her will, to help those in need. The rent was bequeathed to feed the poor. Nearly always, the parson was one of the trustees, making sure that the charity so given was administered properly. Usually it fell on the parson to distribute the money among those who were deemed worthy of receiving it. This was not an easy task I can assure you. I remember myself as a raw young parson, full of Christian charity, being given a list of names by my fellow trustees of those in the parish to receive the largesse. I immediately started my task with much enthusiasm. I called on the first recipient and was told by the good lady who opened the door that I was in far more need of 'charity' than she was. No doubt this was true but sadly the parson was not mentioned by the benefactor as one who could benefit from his bounty.

One had to adhere strictly too to parish boundaries, such as the one in the parish Llechgynfarwy, which follows the main road through the village of Trefor. Whilst the people living on one side of the road could benefit, the ones living on the opposite side could not. One had to be tactful and I went from door to door after dark, pushing the envelopes through the letterboxes, and making the proverbial 'quick get away'.

On the wall of St. Cybi's Church, Holyhead, there is a will written on a piece of brass. It was made by a member of the Penrhos family. The good squire had left a sum of money for 'spinsters who had spent their lives as housekeepers', adding, 'and of worthy character'. It would be hard to find such women today. Very few have spent their entire lives as housekeepers. There is a major charity connected with the parish of Llantrisant. It stipulates that the recipients are not to 'swear, quarrel, drink alcohol, travel on Sundays, and must be in bed every night by eight'. Thank God I am not the Vicar of Llantrisant. Where could I find such saints in the new millennium?

Yet I am sure that the original will must have gone astray because I know of quite a few who still benefit from this charity, and all of them fall well short of the conditions stipulated!

No one will ever be able to change the will of the late Archdeacon Evans, one time Rector of Llanfaethlu. He had it inscribed on a slate and placed inside Llanfaethlu Church. He must have known of quite a few fields and paddocks that had, through dark deeds, changed hands from being part of a charity to being in private ownership. He must have known also that some of the evil doers were often revered gentlemen!

In the past there was another day in the Church's calendar which was set aside to help the needy, and that was the Feast of Stephen, the day, according to the carol, when good King Wenceslas looked out, the day after Christmas. It has another name, which is still with us, Boxing Day, which by the way has nothing to do with opening Christmas boxes. It was a day for opening the 'poor boxes'. You still see these boxes by the doors of some old churches, with 'For the Poor' inscribed on them. Rather a silly day you might think to distribute money when Christmas Day is over; but not so, since the season of Christmas only starts on Christmas Eve and lasts, as another carol reminds us, for twelve days. Some of the poor boxes were actually hollowed out of a tree trunk and given a strong lid. These lids had two or even three locks on them and different church officials kept the keys. The purpose of two or three locks was, not to keep thieves at bay, but to make sure that more than one person had to be present when the boxes were opened. Sadly it appears that even church officials are not always to be trusted; or to look at it from a rather more charitable angle, it meant that they would not be led into temptation.

SEINTIAU

Nid oes yna ond un 'Sant' go iawn yng Nghymru a Dewi yw hwnnw, er, o ystyried, cael a chael i fod yn 'Sant' a wnaeth yntau hefyd.

Mae'r broses o gael eich gwneud yn 'Sant', hynny yw hefo llythyren fawr, yn dra chymhleth. Yn gyntaf rhaid ichwi farw, ac yn ail, rhaid ichwi gyflawni gwyrthiau ar ôl eich marwolaeth. Y ffordd o gyflawni gwyrth yw ichwi gael rhywun sy'n fyw i weddïo arnoch, ac yna i'r weddi gael ei hateb. Ond cofiwch, nid yw hyn ond megis dechrau. Rhaid profi'n ddiymod fod gwyrth wedi cael ei chyflawni; hynny yw, mai gweithred oruwchnaturiol oedd. A bod yn onest, nid yw'r Eglwys yn hoff iawn o wyrthiau oherwydd gallant greu gormod o 'enthusiasm' ymysg y ffyddloniaid, a gall bod yn orgrefyddol greu rhwyg yn yr Eglwys, fel y digwyddodd gyda'r Methodistiaid. Er hyn, mae Eglwys Rufain yn dal i gynhyrchu Seintiau, a rhai modern hefyd. Yn Llanberis, cyflwynwyd yr eglwys i'r 'Sant John Jones'.

Eglwys Llantrisant
Llantrisant Church

Gan nad oedd yr Eglwys Geltaidd o dan oruchwyliaeth y Pab, nid oedd Dewi, sant llythyren fach o'r chweched ganrif, yn cael ei gyfrif yn Sant llythyren fawr pan benderfynodd yr Esgob Elbod yn 768 gydym-ffurfio â gweddill Ewrop, a bu'n rhaid i Ddewi aros hyd y ddeuddegfed ganrif i gael ei ganoneiddio, sef term Eglwys Rufain am wneud rhywun yn Sant. Oni bai bod Gerallt Gymro wedi pledio achos Dewi a chrefu ar y Pab am inni yng Nghymru gael un Sant o leiaf, pan oedd digon ohonynt yn Lloegr, ni fuasai Dewi yn Sant. A chofiwch mai yn groes i'r graen y gwnaeth hyn gan nad oedd yn sicr a oedd Dewi yn Gatholig go iawn! Eto mae gan bob plwyf yng Nghymru ei 'Sant', ond rhai yw'r rhain, fel y buasai'r Sais yn dweud, wedi eu creu 'by popular acclaim'. Ein seintiau bach ni'n hunain ydynt, a gwae i neb ddweud nad ydynt yn Seintiau go iawn. Er cofiwch, yn yr Oesoedd Canol roedd rhai yn mynnu dweud fod eglwysi yng Nghymru heb Sant i weddïo drostynt. Felly, i wneud yn sicr fod pethau'n Gatholig gywir, ychwanegwyd un o'r apostolion at y Sant lleol, a hynny hyd yn oed at seintiau'n heglwysi cadeiriol.

Yn Sir Fôn mae yna un eglwys wedi ei chyflwyno i ofal tri o seintiau, ac yn naturiol yn cael ei galw'n 'Llantrisant'. Rhai annelwig iawn ydynt, a phwy a wêl fai am eu cyplysu â'i gilydd; Sannan, Afran ac Ieuan. Dywedir bod Sannan yn was i Ddewi ac iddo ddod i'r Gogledd a sefydlu eglwys yn Llansannan, cyn dod i Fôn. Mae Afran yn un diddorol iawn. Heb fod nepell, mae Afon Gafran, afon y duw Afran. Os oedd yr Eglwys Geltaidd yn derbyn Coed Yw y Derwyddon yn eu mynwentydd, pam lai troi Afran yn Gristion. Rydym ar dir ychydig mwy cadarn gyda Ieuan. Mae ganddo 'Fuchedd', sef ei gofiant. Cyflwynodd ei dad ef i sylw Padrig oherwydd fod ganddo'r gallu i gyflawni gwyrthiau. Gallai Ieuan ladd nadroedd wrth y cannoedd. Tybed a oedd y Gwyddelod yn anghywir yn honni mai Padrig a alltudiodd bob neidr o Iwerddon? Y Cymro Ieuan a wnaeth yn sicr. Gallai Ieuan yrru pob brân o gae ŷd hefyd. Hen dro na wnaeth ei ddawn barhau ym Môn yn lle'n bod yn gorfod dioddef y gwn awtomatig drwy'r nos weithiau i'w cadw i ffwrdd o gaeau ŷd. Wedi iddo fod yn Iwerddon am gyfnod, penderfynodd Padrig ei anfon yn ôl i Fôn oherwydd fod mwy o'i angen yno nag yn Iwerddon. Tybed nad oedd Padrig braidd yn genfig-ennus o'i was ifanc poblogaidd ac yn dyheu am gael ymwared ag ef? Nid oedd ryfedd i'r Gwyddelod brotestio a gwrthod rhoi cwch iddo i groesi a cheisio'i orfodi i aros gyda hwy. Ond gwas ffyddlon ac ufudd oedd Ieuan. Gan na châi gwch, cymerodd slaban o garreg a chroesi arni, yn union fel y croesodd Ffraid i Drearddur ar dywarchen.

Mae yna eglwys newydd yn Llantrisant heddiw, ond i fyny'r afon Alaw at yr hen Lantrisant y daeth Ieuan. Wedi croesi'r môr roedd ei geg cyn syched â'r garthen. Fel Moses gynt, trawodd y ddaear â'i wialen. Yn y fan a'r lle ymddangosodd ffynnon. Mae'r ffynnon yno o hyd, Ffynnon Ieuan Sant.

SAINTS

There is only one real 'Saint' in Wales, and he is Dewi (David), but in fact, it was only by the skin of his teeth that he managed it!

The process of being made a 'Saint', that is, a saint with a capital letter, is rather complicated. To be declared a Saint you must first of all have to die, and then, you must perform miracles; that is, you have to ensure that the prayers of those who pray to you are answered. But remember, this is only the beginning of the long process. It has to be proved without a shadow of doubt that what really happened was a miracle, a supernatural act and not a natural occurrence. To be honest, the Church is not too happy with miracles since they can engender too much enthusiasm, and as in the past, too much enthusiasm can cause schism or a split in the church, a heresy, or among Protestants, a new sect. In spite of this, the Roman Catholic Church still creates saints, and some of them are very modern. In Llanberis you will find a church dedicated to 'St. John Jones'.

Golwg arall ar Eglwys Llantrisant
Llantrisant Church viewed from the other side

Since the Celtic Church was not under the jurisdiction of the Roman Catholic Church, David, a sixth century saint, with a small letter, was not considered a Saint, with a capital letter, when Elbod, Bishop of Bangor, in 768, decided that Wales should conform with the rest of Europe and recognise the Pope as head of Christendom. We have to wait until the twelfth century before David was canonized. Even then this only happened because Gerald Cambrensis pleaded with the Pope to allow Wales to have 'just one' Saint. The Pope considered his request and after some delay, grudgingly agreed. What worried the Pope was David's Catholicity; that is, whether it was possible for him to be a true Catholic when, during his life, he was a member of the Celtic Church.

In spite of all this, every parish in Wales has its own saint, and who today would dare say that they are not proper Saints! But to be fair, during the Middle Ages, there was a real concern among the faithful in certain churches in Wales as to whether they had a proper Saint to pray for them. Adding another 'proper' Saint as a patron rectified this deficiency. It would usually be one of the apostles, St. Michael or the Virgin Mary. That is why even our cathedrals in Wales are dedicated to a Celtic and a Catholic Saint.

In Anglesey we have one church dedicated to three saints and aptly called 'The Church of the Three Saints', 'Llantrisant'. It has given its name to the parish and the locality around it. Little is known of any of them, which may account for their multiplicity. They are Sannan, Afran and Ieuan. There is a tradition that Sannan was the servant of David who sent him as a missionary to North Wales. He established a church at Llansannan in Denbighshire before settling in Anglesey. The second one, Afran, is a most interesting saint. Nearby is the river Hafren, no doubt the river of the god Afran. If the Celtic Church could adopt the 'Yew Trees of the Druids' as the 'Trees of the Saints', then why not Christianize a pagan god! With the third saint, Ieuan, we are on firmer ground. His biography, known in Welsh as a 'Buchedd', was written in the Middle Ages. Because Ieuan could perform miracles, his father took him to see Patrick who immediately accepted him as a pupil. No wonder, Ieuan could kill snakes in their hundreds. Perhaps the Irish are wrong in crediting their patron saint, Patrick, for driving all the snakes out of Ireland. I am sure it was Ieuan! Ieuan could also frighten every crow for miles from landing in his father's corn fields. (We could do with him these days at harvest time rather than have to suffer the bangs of automatic pistols that keep us awake all night.) In Ireland, as Patrick's servant, Ieuan became very popular. This may be the true reason why his master decided to send him back to Anglesey, on the pretence that there was more need for evangelizing there than in Ireland. When the Irish heard of this they protested most vehemently and refused to give Ieuan a boat for the crossing. Ieuan, a faithful servant to his master, found a slab of stone and paddled all the way across. Ffraid did something similar when she sailed on a piece of turf from Ireland and landed safely at Trearddur Bay.

Today we have a new church at Llantrisant, built over a hundred years ago, and in the centre of the parish. The old Church in still there and kept in good repair by the 'Friends of Friendless Churches'. It was near here that Ieuan landed when he returned to Anglesey after his long journey across the Irish Sea and then up the River Alaw. On arrival, he was truly parched, so like Moses of old, he struck the earth with his rod and immediately water gushed out so that he could quench his thirst. The well is still there, right opposite the churchyard gate, and aptly called 'The well of the Saint'.

DIOLCH

Am gael 'ngeni'n faban bach / Diolch i Ti

Fel yna y canai Tony ac Aloma, gan ddiolch am y peth pwysicaf, sef bywyd ei hun. Mae ŵyn bach yn y gwanwyn yn neidio a phrancio heb unrhyw reswm, heblaw am eu bod yn falch o'u bodolaeth. Yn yr hydref yr ydym ni fwyaf diolchgar a gŵyl ddiolchgarwch am y cynhaeaf yn dal ei thir yn rhyfeddol. Yn yr Oesoedd Canol, ar y dydd cyntaf o Awst y cynhelid yr ŵyl hon gan fod y gwenith a gafodd ei hau yn yr hydref, gwenith gaeaf fel mae'n cael ei alw, yn barod wedi ei ffustio a'i falu a thorth wedi ei phobi â'r blawd ffres. Dyma'r dorth a ddefnyddid fel bara'r Cymun ar Awst y cyntaf. 'New Loaf Mass' oedd y term Seisnig am wasanaeth Awst y cyntaf, a châi ei dalfyrru i 'Lamas'.

Gyda'r Diwygiad Protestannaidd, anghofiwyd am yr hen wyliau a bu'n rhaid aros hyd 1843 am wasanaeth arbennig i ddiolch am ffrwythau'r ddaear. Roedd y flwyddyn honno'n dra thoreithiog ac awgrymodd person Morwenstow, Cernyw, y Parchedig R.S.Hawker, y dylai'r plwyfolion ddangos eu gwerthfawrogiad, fel Cain gynt, drwy ddod â chynnyrch y ddaear i'r eglwys. Felly y bu, ac oherwydd i bawb gael ei blesio, penderfynwyd cynnal gwasanaeth cyffelyb y flwyddyn ganlynol. Erbyn y drydedd flwyddyn, roedd 'Gŵyl Ddiolchgarwch am y cynhaeaf' wedi ennill ei thir ym Morwenstow ac yn cyflym ledaenu drwy Gernyw, ac yna i Gymru.

Unwaith yng Nghymru, mabwysiadwyd 'Dydd Diolchgarwch' gan yr Ymneilltuwyr fel Uchel Ŵyl y Capeli. Yng Ngwynedd, neilltuwyd diwrnod arbennig i'w chynnal, y trydydd Dydd Llun ym mis Hydref, a'i alw'n 'Ddydd Llun Pawb', fel y byddai pob enwad yn gallu cynnal tair oedfa o ddiolchgarwch. Byddai'r chwareli a'r gweithfeydd yn cau, ynghyd â'r siopau, i roi cyfle i bob gweithiwr fynychu ei gapel. Nid oedd yn hollol fel Dydd Sul gan y byddai pechaduriaid na welwyd mohonynt ers y Diolchgarwch blaenorol yn bresennol; byddai babanod yn cael dod i'r capel am y tro cyntaf hefyd gan nad oedd lawer o wahaniaeth pe baent yn gwneud ychydig o sŵn ar ddiwrnod gwaith, yn hytrach nag ar y Sul. Datblygodd yr ŵyl yn fuan iawn i fod yn Ŵyl Offrwm, y diwrnod i roi yn y casgliad gyfraniad blynyddol i gynnal yr achos. Gwasanaeth y nos oedd yr uchafbwynt oherwydd ar y diwedd byddai casgliadau'r dydd yn cael eu cyfrif.

Pan oeddwn i'n blentyn, yr oedd gan bawb ddigon o amser. Nid oedd brys ar neb i fynd adre ar noson Diolchgarwch. Arhosem yn ddiddig yn ein seddau i glywed beth oedd cyfanswm yr holl gasgliadau. Y pen blaenor gâi'r fraint o gyhoeddi'r canlyniad a mawr fyddai'r aros am fore trannoeth i glywed a oedd y capeli eraill wedi gwneud cystal.

Yng Nghaergybi mae yna ffurf o ddiolchgarwch tra anghyffredin. Bwa o gerrig yw, copi meddai rhai o'r 'Marble Arch' yn Llundain oherwydd wrth y bwa hwnnw y cychwynnai'r hen A5 ar ei thaith a dod i ben wrth y bwa yng Nghaergybi. Mae i'w weld yn glir o'r llong wrth iddi adael am Iwerddon. Saif ar y fan sy'n cael ei alw'n Ynys Halen. Cafodd ei godi i goffáu ymweliad Siôr IV â'r dref. Pan oedd y brenin yng Nghaergybi, clywodd fod ei wraig, y Frenhines Caroline o Frunswick, wedi marw. Nid oedd y ddau yn ffrindiau gan mai Maria Fitzherbert oedd ei wir gariad, a chwarae teg iddo, buasai wedi ei phriodi oni bai ei bod hi'n aelod o Eglwys Rufain ac ni chaniatâi'r Llywodraeth i'w brenin briodi neb ond Protestant. Mawr fu'r gloddesta ar fwrdd y llong frenhinol y noson honno oherwydd y newydd da a glywodd y brenin, ac yn wir mae rhai yn ofni fod y bwa ar Ynys Halen, nid yn coffáu ei ymweliad â thref Caergybi ond ei ryddhad oddi wrth Caroline o Frunswick!

Y bwa ym mhorthladd Caergybi
The arch in Holyhead harbour

THANKS

For being born a tiny child / Thanks to Thee.

That is how Tony and Aloma, the popular Welsh duo of the sixties, sang. Truly the most important thing of all is life itself. Lambs in spring jump about for no reason at all except for the mere fact that they are glad to be alive.

Our time of saying thank you is at our Feast of Thanksgiving in the autumn. In spite of the fact that the number of the faithful who attend has diminished, this Christian Festival has not completely lost its popularity. In the Middle Ages the first of August was a thanksgiving day. Wheat sown in the autumn, winter wheat as it was called, would have been cut and thrashed and out of the first flour of the season, a loaf would be baked and taken to church and used as the bread of the Mass. This gave the service its name, 'Lamas' derived from 'Loaf Mass'.

After the Reformation, the old festivals were gradually forgotten and we have to wait until 1843 before a service of thanksgiving for the fruits of the earth was held once more. That year produced bounteous crops and the Rector of Morwenstow, Cornwall, the Revd. R.S.Hawker, suggested to his parishioners that they should thank the Almighty for his bounty in a practical way. He invited them to bring the produce of the land to church and thus show their gratitude. They listened to him and the service was so popular that the parishioners asked the rector if they could have a similar one the following year. By the third year, other parishes followed suit and 'Harvest Thanksgiving Service' was well established.

This idea of thanksgiving, though inaugurated in an Anglican Church, was emulated by the Nonconformist, and in Wales became the most important service of the year. In Gwynedd it had a special day, the third Monday in October. Even the quarries and the shops closed so that every worker could attend the services. It was not quite the same as a Sunday because 'sinners' who had not been near a place of worship all year would attend. Small children and babies would be tolerated in the afternoon service and a certain amount of noise was acceptable. After all it was not a Sabbath. Soon it became a Gift Day, the day when saints and sinners were expected to contribute towards their place of worship, whether they were regular attendants or not. On this day depended the well-being of the chapel for another year.

I remember that the evening service was the highlight of the day and when it was over, we would sit quite happily in our pews. Time did not count in those days. We had plenty of it. Then two members of the congregation would go forward to the deacons' pew to count the money, usually the schoolmaster and the postmaster. Some chapels were very privileged in having a bank clerk or even a bank manager to count the collection. While this was going on we would sing a couple of hymns and recite one of the psalms. I remember that the chief elder had the privilege of announcing the total amount collected. The following morning it was imperative to know how much the other chapels in the locality had collected. In those days there was a healthy mercenary rivalry among Christians!

Y bwa mewn hen brint o borthladd Caergybi
The arch in an old print of Holyhead harbour

In Holyhead there is a remarkable monument commemorating a thanksgiving. It is a triumphal arch, a copy, so it is claimed, of the famous Marble Arch in London. The old A5 began at London's Marble Arch and ended at the arch in Holyhead. You can still see it plainly as the ferry leaves the harbour on its journey to Ireland. It stands on Salt Island and was raised to commemorate the visit of King George IV. When the king was in Holyhead, he heard about the death of his wife, Caroline of Brunswick. One must be fair in this matter and recall that the king's true love was Maria Fitzherbert. He wanted to marry her but unfortunately, she was a Roman Catholic and the holder of the title 'Defender of the Faith' could only marry a Protestant, in spite of the fact that it had originally been given to Henry VIII by the Pope for his staunch stand against Martin Luther. Great was the rejoicing on board the Royal Yacht when they heard the news about the Queen. Some cynics maintain that the Triumphal Arch on Salt Island is not a sign of thanksgiving for the king's visit but for his deliverance from an unhappy marriage.

YR YWEN

Mae'r rhaglenni teledu ar y dinasoriaid wedi peri inni ryfeddu a sylweddoli pa mor hen yw'r byd yr ydym ni'n byw ynddo. Yn wir roedd y Salmydd yn gyfoes iawn wrth ganu, 'Canys mil o flynyddoedd ydynt yn dy olwg di fel doe'. Eto, i ni, mae mil o flynyddoedd yn amser maith iawn. Y pethau byw hynaf ym Mhrydain yw coed yw. Mae rhai ohonynt yn wyth mil o flynyddoedd oed.

Yn lle mae mynwent Eglwys Llanddeiniolen, roedd yna ddwy ywen yn tyfu pan anwyd Crist, ac maent yno o hyd ac yn dal yn holliach. Canodd W. J. Gruffydd amdanynt: 'A'u ceinciog gnotiog freichiau'n codi fry'. Gan fod coed yw sydd mor hen mewn llawer o fynwentydd, cafwyd y syniad o blannu rhagor ohonynt i groesawu'r mileniwm newydd.

Mae nodweddion unigryw i goed yw. Gallant edrych fel petaent wedi marw, a hynny weithiau am flynyddoedd, ac yna adfywhau trwyddynt ac ailddechrau tyfu. Gwnant hyn pan nad yw'r amodau o'u cwmpas, megis hafau gwlyb neu hafau oer, yn gweddu iddynt. Y gallu i drechu adfyd trwy ddyfalbarhau nes daw tro ar fyd yw'r rheswm am eu hirhoedledd.

Rhyw ddwy flynedd cyn y mileniwm newydd, cymerwyd toriadau o goed yw Llanddeiniolen a'u plannu mewn potiau. Ar y dydd olaf o Dachwedd 1999, a hwythau wedi gwreiddio, bu gwasanaeth yn yr eglwys i'w bendithio a'u rhannu i wahanol blwyfi. Bûm yno i dderbyn yr un sydd i gael ei phlannu ym mynwent Eglwys Llanfigael. Heddiw, nid yw ei thaldra ond naw modfedd, ond os caiff lonydd i dyfu, bydd i'w gweld o bell erbyn y flwyddyn 3000. Maent yn tyfu'n eithaf cyflym am yr hanner can mlynedd cyntaf ac yna'n lledaenu, a'r boncyff yn mynd yn fwy ffyrf o ganrif i ganrif.

Teg yw gofyn paham y cafodd coed yw eu plannu mewn mynwentydd yn y lle cyntaf. Gan eu bod yn fythol wyrdd, gall ywen fod yn symbol o fywyd tragwyddol ac felly'n addas iawn i'w phlannu mewn mynwentydd. Esboniad arall yw'r ffaith eu bod yn wenwynig ac o'r herwydd, yn cadw anifeiliaid draw oddi wrth y beddau. Roedd yna bwrpas arall hefyd i'w plannu oherwydd eu canghennau hwy, yn yr Oesau Canol, a ddefnyddid i wneud saethau. Ond yr esboniad mwyaf derbyniol yw'r un hanesyddol. Gwyddom fod coed yw yn tyfu mewn mynwentydd cyn i Gristnogion gael eu claddu ynddynt. Wrth i'r A55 newydd gael ei hadeiladu ar draws Ynys Môn, a'r pridd yn cael ei glirio, daeth hen fynwentydd i'r golwg. Ynddynt mae'r beddau'n blith draphlith; hynny yw, nid ydynt i gyd yn wynebu'r dwyrain, fel y gwna beddau'r Cristnogion. Y rheswm am hyn yw'r ffaith fod y brodorion, wrth dderbyn y ffydd newydd, yn dal i addoli yn yr hen fannau cysegredig, a hefyd yn dal i gladdu yn hen fynwentydd eu hynafiaid. Felly, pan ddaeth Deiniol ac adeiladu ei gell lle y mae Eglwys Llanddeiniolen heddiw, ni wnaeth dorri'r ddwy ywen a oedd yno ond eu cymhwyso. Daeth ywen y Derwydd yn ywen y Sant.

Yr ywen yn Eglwys Pabo
The yew in St.Pabo's Church

THE YEW TREE

The television programmes on dinosaurs made us realise how old is the world in which we live. Indeed the psalmist was correct when he sang, 'for a thousand years in thy sight is but as yesterday'. Yet to us, a thousand years is a very long time. The oldest living things in Britain are the yew trees. Indeed some of them are eight thousand years old.

On the site of Llanddeiniolen Church, a few miles from Caernarfon, there were two yew trees growing when Christ was born. They are still there and looking very healthy. The old yew trees of Britain are to be seen in churchyards and more were planted to welcome the new millennium.

Yew trees have distinctive characteristics. They may appear to be dead, sometimes for years, and then out of the blue start growing again. They do this when the prevailing conditions are unfavourable, such as a period of very wet or very cold summers. The ability to withstand adversity through tenacity, until conditions improve, is the secret of their longevity.

About two years before the start of the new millennium, cuttings were taken from the yews at Llanddeiniolen churchyard and planted in pots. On the last day of November 1999, by which time the cuttings had taken root, a special service was held at the church to bless the young saplings. After the service they were distributed to various parishes. I attended the service so that I could have one to plant in Llanfigael churchyard. Now it is only nine inches tall but if it is allowed to grow for a thousand years, it will tower over the locality. They grow rather fast for the first fifty years and then slow down, allowing their branches to spread and their trunks to thicken.

It is fair to ask why yew trees were planted in churchyards in the first place. One theory maintains that as they are evergreen trees, they are a symbol of everlasting life, which is very apt in a Christian burial ground. Another theory maintains that because their leaves and berries are poisonous, farmers ensure that their animals never wander into churchyards to disturb the graves. In the middle ages yew branches were used to make arrows and as churchyards were places where trees were not disturbed, this was yet another reason for them to be there. But a historical fact may give us the real clue to the answer.

Some of the yew trees in our churchyards are so old that they must have been growing there before Christianity reached these islands. With the construction of the A55 across Anglesey, ancient burial sites came into view. It could be seen that there was no pattern to the position of the graves. They faced in all directions, the ones facing east being the

Christian graves. It appears therefore that the early Christians did not start burying their dead in new burial grounds but continued to do so among their ancestors. When the missionary St. Deiniol arrived to establish a Christian cell where Llanddeiniol Church is today, he saw two yew trees and he knew exactly why they were there. He did not cut them down because of their pagan symbolism but adapted the symbolism to the new faith. This must have happened throughout the country as the ancient yew trees are still with us, and the yew trees of the Druids became the yew trees of the Christian Saints.

BODYCHEN

Byddwn yn cofio am 1985 fel y flwyddyn ddi-haf. Nid dyma'r tro cyntaf inni gael hafau gwlyb. Y ddau waethaf ohonynt oedd yr un yn 1846 a'r un y flwyddyn ganlynol, 1847. Dyma'r blynyddoedd y bu farw cannoedd o Wyddelod o newyn. Tyddynwyr oedd gwerin Iwerddon a ddibynnai ar datws am eu cynhaliaeth. Oherwydd y gwlybaniaeth diddiwedd, daeth clwyf ar y tatws, gyda chanlyniadau erchyll.

Er gwaethaf popeth, gwawriodd dydd Iau yr ail ar hugain o Awst eleni yn fendigedig o braf. Pedwar can mlynedd i'r diwrnod, yr oedd Sgweier Bodychen yn ymladd wrth ochr Harri Tudur ar Faes Bosworth ac yn dyst i'w fuddugoliaeth yn erbyn Rhisiart III. Oherwydd y dyddiad a'r tywydd braf, penderfynais fynd i gael golwg ar Blas Bodychen.

Un o'r pethau prinnaf ym Môn erbyn hyn yw tawelwch, ond wrth gerdded ar draws y cae at y murddyn o blasty, gallwn ei deimlo. Yr unig arwydd o fywyd oedd creyr glas, a hwnnw'n sefyll mor llonydd â delw yng nghanol Afon Caradog.

Tra eisteddwn yn edrych ar olion y mawredd, pendronais paham y gadawodd Rhys ap Llywelyn ei gartref a pheryglu ei fywyd gyda Harri Tudur, yn enwedig ar ôl i Harri ddwy flynedd yn flaenorol fethu â chipio'r goron oddi ar Rhisiart. Mae'n wir fod mwy o baratoi wedi bod gogyfer â'r ail gynnig ond roedd Rhisiart hefyd wedi cael mwy o amser i baratoi. Nid ar ei ben ei hun y glaniodd y tywysog ifanc yn Ne Cymru y tro hwn ond daeth â byddin fechan o Ffrancwyr gydag ef. Er hyn, croeso digon llugoer a gafodd gan arglwyddi cyfoethog fel Rhys ap Thomas a'r Arglwydd Stanley. Rhyw eistedd ar ben llidiart a wnaethant ac aros i weld sut y chwythai'r gwynt. Ond ym Môn roedd pethau'n wahanol. Wedi'r cyfan, roedd Harri'n ŵyr i Owain Tudur, Penmynydd a 'thewach gwaed na dŵr'. Pe buasai byddin Harri wedi colli'r dydd ar Faes Bosworth, y mae'n debygol y buasai Rhys wedi cael ei ddienyddio, neu ei garcharu, a'i dirioedd wedi eu fforffedu. Fel arall y bu.

Yn Eglwys Llangadwaladr, mae ffenestr liw sy'n dangos Owain ap Meurig, mewn gwisg filwrol, gyda'i wraig Ellen, yn dod â chod o aur at yr allor i ddiolch i Cadwaladr Sant am iddo gael dod adref o Faes Bosworth yn fyw.

Wedi'r fuddugoliaeth, nid anghofiodd y brenin newydd ei gyfeillion ac apwyntiodd Rhys ap Llywelyn yn Siryf Môn am ei oes. Daeth yn ŵr cyfoethog ac ailadeiladodd ei blas a'i helaethu a'i wneud yn gartref addas iddo'i hun. Pan fu Rhys ap Llywelyn farw, nid oedd ond un fangre ddigon urddasol i'w gladdu, a'r fan honno oedd Eglwys Cybi Sant a ddaeth, yn ystod teyrnasiad y Tuduriaid, yn Abaty Westminster Môn, yn fan claddu uchelwyr.

Gwaetha'r modd, adfail llwyr yw Bodychen heddiw a theulu Rhys ap Llywelyn wedi marw o'r tir ers llawer dydd.

Gweddillion Bodychen
The remains of Bodychen

BODYCHEN

1985 will be remembered as a year without a summer. This was not the first time for us to have a wet summer. The two worst were in 1846 and 1847. These were the years when thousands in Ireland starved to death. The potato was their staple diet and when the blight, due to the waterlogged soil, destroyed the crop, the results were disastrous.

However, there was not a cloud in the sky on the morning of Thursday, 22 August 1985. Because it was such a glorious day and because of the date, I decided to visit Plas Bodychen. Four hundred years earlier, to the day, the Squire of Bodychen was fighting side by side with Henry Tudor on Bosworth Field and in the end witnessed his victory over Richard III.

It is a rare thing to find a quiet spot in Anglesey these days but while I was walking across the fields towards Bodychen, a magnificent ruined manor house, I could feel the silence all around me. The only sign of life was a heron standing as still as a plastic one, in the middle of the river Caradog.

Whilst I was sitting on a boulder staring at the tumbled remains of what was once a splendid dwelling, I pondered why Rhys ap Llywelyn bothered to gather an army from among the sturdy young men of Anglesey and leave his home and family to endanger his life with Henry Tudor, especially since that young man had failed two years previously to snatch the crown off King Richard's head. It is true that there had been a more thorough preparation for this second expedition but Richard also had had more time to strengthen his army. Henry brought a small French army with him, but they were a motley collection of escaped convicts and mercenaries. The welcome Henry Tudor had when he landed in South Wales was very lukewarm, with wealthy landowners like Rhys ap Thomas and Lord Stanley considering the stakes to be too high to show too much enthusiasm. Other noblemen sat on the fence to see what the response would be. In Anglesey things were different. Henry was after all the grandson of Owain Tudor of Penmynydd, Anglesey, and blood is always thicker than water, even when called to battle. If King Richard defeated Henry Tudor, Rhys ap Llywelyn knew that his land would be confiscated and he himself would no doubt be executed. Thankfully, young Henry Tudor was victorious and his followers were saved. Another nobleman from Anglesey who marched with Rhys to Bosworth was Owain ap Meurig.

If you ever visit Llangadwaladr Church, you will see a fine glass window depicting Owain dressed for battle, alongside his wife Ellen, kneeling before the altar offering a leather bag full of gold to St. Cadwaladr to thank him for his safe return from battle.

After the victory Henry Tudor, now Henry VII, did not forget his faithful followers and Rhys ap Llywelyn was made High Sheriff of Anglesey for life. Henry VIII also remembered those who had helped his father and gave them the land that he took from the monasteries when he dissolved them. Rhys became a rich nobleman and enlarged his home, making it a worthy dwelling place for such a high ranking officer. When he died there was only one place sacred enough for him to be buried and that was St. Cybi's Church, Holyhead. During the reign of the Tudors, St. Cybi's Church became a Westminster Abbey for the nobility of Anglesey. This explains why the old monastic church is full of graves.

Sadly, Bodychen is a complete ruin by now and there is no trace of the family of Rhys ap Llywelyn. It is difficult to understand how such a noble family could vanish into the mist of time.

PYSGODYN GWYNT

'Pa fodd y cwympodd y cedyrn?' ddaeth i'm meddwl a minnau'n edrych ar Bysgodyn Gwynt Eglwys Cybi ar ei ochr ar y llawr. Bu'n edrych tua'r môr, ac i lawr ar drigolion y dref, am yn agos i ddau gan mlynedd. Ceiliog fel arfer sydd i'w weld ar dŵr eglwys i ddangos o ba gyfeiriad mae'r gwynt yn chwythu, gan fod ei gynffon yn ddelfrydol i'w droi i wynebu'r gwynt. Ond mae yna gyfeiriad ysgrythurol at geiliog hefyd. Gwadodd Pedr Iesu deirgwaith, 'ac yn y fan canodd y ceiliog'. Yn ogystal, mae gan y pysgodyn gysylltiadau â'r Eglwys Fore. Nid croes ond pysgodyn oedd arwydd y Cristnogion cynnar. 'Ichthus' yw'r gair Groeg am bysgodyn ac wrth gymryd pob llythyren yn unigol a'i throi'n llythyren gyntaf i air, ceir 'Iesu Grist, Mab Duw, Gwaredwr'.

Mae ambell eglwys glan y môr hefo llong-llawn-hwyliau yn lle ceiliog ar ei thŵr. Enghraifft ardderchog yw hen eglwys Nefyn. Mae yna gysyllt-iadau eglwysig hefo llong hefyd. Y gair Lladin am long yw 'navis', yn rhoi 'navy' inni yn Saesneg, a hefyd 'nave', sef y term am gorff yr eglwys. Mae'r Eglwys Gristnogol yn y byd fel llong yn hwylio ar fôr. Caiff ei chwythu gan aml storm i bob cyfeiriad ond mae'n cyrraedd yr Hafan Nefol yn y diwedd.

Yn Nantanog, Llantrisant, gwelais lwynog uwchben talcen y beudy. Roedd ei gynffon yn flewog hir, gan beri iddo symud gyda phob chwa o wynt. Ardal y llwynog yw hi, gyda llawer iâr a hwyaden yn diflannu mewn munud awr o'r fferm.

Cefais fy siomi'n fawr ym mhysgodyn Eglwys Cybi pan oedd wrth fy nhraed. Fel llawer un ohonom, edrychai'n well o bell. Gwneuthuriad gwael iawn oedd iddo. Rwy'n gwybod ei fod wedi wynebu llawer storm, yn llythrennol, ond mae arnaf ofn nad oedd y gof a'i lluniodd ymysg crefftwyr y celfyddydau cain. Efallai ei fod ar frys neu heb lawer o adnoddau ar y pryd. Mae'r un newydd copr lluniaidd yn sgleinio fel aur yn yr haul, ond pwy a ŵyr sut y bydd yntau'n edrych ymhen dau gan mlynedd.

Cyn ffarwelio â'r hen bysgodyn, a gwybod na welwn ef mwyach, cofiais beth a ofynnodd y Canghellor J.H. Williams imi pan welodd fi am y tro cyntaf ar ôl imi gyrraedd y dref o'r coleg. Roedd y Canghellor yn frawd i'r cerddor Meirion Williams ac wedi bod yn gurad Caergybi ei hun yn y tridegau. 'Ydi'r "Holy Mackerel" ar dŵr Eglwys Cybi o hyd?' 'Holy Mackerel' yr ail yw'r un newydd i mi.

WEATHERVANE

'How are the mighty fallen?' That verse came to mind as I looked at St. Cybi's weathervane, which is actually a fish, toppled on its side by my feet. The poor thing had been looking towards the sea and down on the town folk for almost two hundred years. Usually a weathervane on a church tower is shaped like a cockerel. The shape of the tail is ideal to turn the bird in the direction of the wind. But there is a scriptural justification as well. St. Peter denied our Lord thrice and on the third time 'the cockerel crew'. But we must not forget that the fish is also associated with the Early Church. The Cross was not the original symbol of Christianity but the fish. 'Ichthus' is the Greek word for fish and if you form other words from each of its letters, you get 'Jesus Christ, Son of God, Saviour'.

There are quite a few churches situated near the sea with a ship as their weathervane. Nefyn on the Llŷn Peninsula is a good example. We must not forget that there is also a linguistic connection between a ship and a church. This time the language is Latin. The Latin word for a ship is 'navis', which gives us 'navy' in English. 'Navis' also gives us 'nave'. The Christian Church is like a ship that has to ride all storms before reaching the Heavenly Haven, and so the main body of the church is called the 'nave'.

In Nantanog Farm, Llantrisant, there is an excellent weathervane in the shape of a fox. Its long bushy tail turns its whole body to face the wind in the slightest breeze. The countryside around Nantanog is ideal for foxes and many a hen, duck and turkey has disappeared overnight from the yard.

I was truly disappointed with St. Cybi's fish. Like so many of us, it looked better from afar. It was poorly made of cheap steel. In spite of this, it remained there on the tower facing force eight winds in hundreds of gales from generation to generation. The new copper fish glitters like gold on a fine day but will it withstand the test of time as bravely as its shabby predecessor did? Time will tell.

Tŵr Eglwys Cybi / The tower of St.Cybi's Church

Before I said farewell to the old fish, knowing I would never see it again, I recalled what the late Chancellor J.H.Williams asked me when I first saw him in Bangor after my appointment as curate of Holyhead. Chancellor Williams had been himself curate of Holyhead in the thirties. 'And how is the Holy Mackerel on St. Cybi's tower?' So I've christened the new weathervane, 'Holy Mackerel the Second'.

LLYSIAU

Pan af am wyliau i Lŷn, ni fydd neb yn galw gyda'r nos i'n gweld. Yno y byddaf o flaen y tân trydan yn rhythu ar y teledu, heb fawr o sgwrs. Mor wahanol oedd hi ar y fferm gartref wedi noswyl. Nid âi noson heibio heb i rywun alw i eistedd gyda ni o gwmpas tanllwyth o dân. Roedd gan wahanol rai o'r gymdogaeth eu nosweithiau i alw. Edrychwn i ymlaen am nos Lun, gan mai honno oedd noson 'Mr Jones y siop'. Deuai i'r gegin yn cario llond bocs o nwyddau inni. Codai hwy a'u rhoi ar y bwrdd ac wrth iddo wneud cyfrif yr arian yn ei ben, byddem ninnau'n berffaith dawel rhag ei ddrysu, neu rhag ofn iddo godi gormod arnom. Pan daflai i'm hafflau lond cwd papur o fferis, gair Pen Llŷn am gandis Sir Fôn, gwyddem ei fod wedi clandro'r cyfanswm. Codai fy mam, heb ei amau erioed, a mynd o jwg i jwg ar y dreser i chwilio am yr arian cywir. Dyma'r amser inni ymlacio a thynnu'r cadeiriau yn nes at yr aelwyd. Taniai Jones ei bibell a'm tad ei Woodbine a gwyddwn innau fod yna noson ddifyr o straeon yn fy aros. Byddai hyn tua saith ac âi'r seiadu ymlaen hyd nes y clywai Jones y cloc mawr yn taro naw. Dyna'r arwydd iddo neidio ar ei draed a rhuthro allan. Roedd ganddo alwad arall i'w gwneud, a chan fod yr hen ŵr a'r hen wraig yn y fferm nesaf yn clwydo fel ieir, byddai'n rhaid iddo yrru fel Jehw i lawr y dyffryn.

Fuasai neb byth yn blino yng nghwmni Jones. Mae ambell un yn dweud stori ar ôl stori i wneud ichwi chwerthin, a hynny'n mynd yn syrffed, ond storïau gwir am fywyd bob dydd, a llawer ohonynt wedi eu clywed wrth ei lathen cownter, a adroddai ef. Ar nosweithau Llun, os oedd fy llygaid ar fy ngwaith cartref, roedd fy nghlustiau yn gwrando ar Jones.

Yn ystod ei fywyd bu'n dilyn sawl galwedigaeth. Ar un adeg, bu'n porthmona moch ym Môn ac adroddai ambell stori o'r cyfnod hwnnw, cyfnod yr hafau hirfelyn tesog wedi'r Rhyfel Byd Cyntaf. Dywedodd fod hen wraig ym Môn ar y pryd yn gwerthu diod ddail. Byddai Jones, os oedd yn y cyffiniau, yn galw i'w gweld a phrynu glasiad o'r ddiod iachusol. Un tro aeth yr hen wraig ag ef i'r ardd gefn. Gardd o lysiau ydoedd a phren bocs rhwng pob gwely. Eglurodd fod yr arian a gâi wrth werthu'r ddiod yn mynd at y genhadaeth dramor, a pha wlad yn dibynnu o ba wely yn yr ardd y tyfai'r llysiau. Roedd yno wely at Fryniau Casia, gwely i Ceylon, gwely i'r 'Ethiop du' ac yn y blaen.

Pan ddeuthum i i fyw i Lanfachraeth, clywais am wraig arbennig iawn a oedd yn byw yn Siop yr Aur ar un adeg. Nid oedd ei gwell am wneud diod ddail. Anfonai'r arian a gâi am y ddiod i'r genhadaeth dramor. Cefais ganiatâd i fynd i'r ardd. Yno yr oeddwn yn yr un lle yn union ag y bu 'Mr Jones y Siop' pan oedd yn porthmona moch. Erbyn hyn roedd y llysiau wedi marw ond parhai'r stori'n fyw iawn yn fy nghof. Daeth ton o hiraeth drosof am Lŷn, ac am gegin fferm Aber Fawr ar nosweithiau Llun bron i hanner can mlynedd ynghynt.

Pentref Llanfachraeth heddiw
Llanfachraeth village today

HERBS

When I go on my annual holiday to my friends in the Llŷn Peninsula, I can be there all week with them without anyone paying a friendly visit. How different things were on the farm fifty years ago. Hardly an evening went by, especially in winter, without someone calling to join us by a roaring fire. They were mostly regulars, each with their special visiting evening. I always looked forward to the Monday evenings because it was then that 'Mr Jones the Shop' used to call. He would arrive unannounced in the kitchen carrying a large cardboard box full of groceries. He would empty the box on the kitchen table, audibly adding while handling each article and all of us sat in complete silence so as not to distract him in case he would charge too much. When he threw a bag of sweets for me to catch, we all knew the calculation was complete. Then my mother would get up and go from jug to jug on the dresser looking for money so that she could give him the correct amount, since he never had any change on him. While this went on, we could relax and draw our chairs nearer the fire. If we went too near we had to step back so that the heat could be shared evenly. Jones would light his pipe and my father his Woodbine and I knew that this was the beginning of another evening of pleasant conversation. It was usually about seven when we all settled down and the talking and laughing would continue until the grandfather clock started to strike nine. This was a sign for Jones to jump from his chair so that the old couple at the next farm, who according to Jones went to bed 'as early as hens', could also have their groceries that evening. Then he would be out in the yard in a flash, jump into the van and drive down the winding road like Jehu.

You would never be bored in the presence of Jones. There are some that tell story after story and you soon get enough of them. But with Jones it was different. His were real life stories. He had a wealth of anecdotes about his own escapades. He had studied his fellow humans thoroughly from behind his 'yard of a counter'.

When the clock struck eight my mother would give a nod and I knew it was time for me to go to my bedroom and finish, or start, my homework. There was also another reason. In those days children were not supposed to know everything and no doubt some of the stories, according to my mother's point of view, were not for young ears. I did not mind because the stairs came right down to our living room and from the landing by my bedroom door, I could hear everything.

After the First World War, Jones bought a lorry and travelled about North Wales buying fat pigs for various butchers. Many of his anecdotes had that period as their background. They were the golden years for many an ex-serviceman. One of his stories was about an old lady in Anglesey who used to sell herbal drinks. Jones, if ever he was in the vicinity, would call on her and drink a glassful of her 'cure for all ills'. One day she took him to her garden. It was a garden full of herbs. She had planted many varieties neatly in various beds. The money she received was given towards foreign missions. Every bed had its own country to evangelize. From one bed, all the money would go to China. From another, the money would go to Africa, from another to India and so on. I never forgot that story.

When I came to live to Llanfachraeth, I soon heard about a remarkable lady who lived in a house there called Siop yr Aur. She was a herbalist and used to send money to help foreign missions. The present owners allowed me to visit the garden. All the herbs had gone and everything was changed beyond recognition. Yet I knew I was standing on the very spot where 'Jones the Shop' had stood over fifty years previously. A kind of sadness came over me remembering those happy Monday evenings when everything was wonderful and I had not a care in the world.